# L'heure de la lecture

**Un recueil de 3 histoires**
adaptées à ton niveau de lecture

Sylvie Khandjian
François Tardif

Conception de la couverture : Bruno Paradis
Illustrations : Marie Blanchard et Richard Bizier
Mise en pages : Ghislaine Guérard
Correction d'épreuves : Fleur Neesham

Imprimé au Canada

ISBN : 978-2-89642-554-9

Dépôt légal – Bibliothèque et Archives nationales du
Québec, 2012

Les Éditions Caractère remercient le gouvernement du
Québec – Programme de crédit d'impôt pour l'édition
de livres – Gestion SODEC

Les Éditions Caractère reconnaissent l'aide financière du
gouvernement du Canada par l'entremise du Fonds du
livre du Canada pour leurs activités d'édition.

Visitez le site des Éditions Caractère
editionscaractere.com

# Table des matières

# Numéro 8

François Tardif

# LE JOURNAL DE LILI

*Ma mère m'appelle.*

*— Lili !*

*Qu'est-ce que je fais ? Je lui dis tout ?*

*— Lili !*

*Non, je me tais !*

*— LILIANE !*

*Oh, non ! Lorsque ma mère m'appelle Liliane, c'est qu'il y a urgence. Dans quelques secondes, elle sera là et elle sera sûrement fâchée ! Une chose est certaine, je me tais, je me tais et je me tais encore plus ! Ma mère ne comprendrait jamais ce qui m'arrive ! Même moi, je ne comprends pas comment tout ça a bien pu m'arriver !*

—Liliane, j'arrive!

Vite, surtout je cache mon journal personnel mieux que jamais. Si elle le trouve, qu'elle découvre ce que j'ai fait et ce que j'ai l'intention de continuer à faire, ma mère va me lancer dans l'eau archi-archi-glacée, juste à côté d'un iceberg. IL FAUT que cela reste secret!

# CHAPITRE 1

# Yo Bozo !

Lili cache son journal personnel entre le sommier et le matelas. Il ne faut surtout pas que sa mère le trouve. Il vaut donc mieux qu'elle descende rejoindre les membres de sa famille dans la salle à manger.

Les secrets qu'elle partage avec sa meilleure amie Julie, les petites blagues qu'elle fait à son petit cousin André, toutes ces petites cachotteries qu'elle fait à l'occasion à ses parents, et surtout cette dernière aventure, la plus bizarre et la plus improbable… Non, il ne faut pas que sa mère trouve le journal! Ses parents seraient catastrophés! Cette dernière aventure n'a vraiment aucun sens. Comment en est-elle venue à prendre la place de son frère Yann? Lili n'est pas certaine d'avoir la réponse.

Ce soir-là, en rejoignant ses parents pour le souper, Lili se sent un peu pressée par sa mère impatiente. Elle s'arrête brusquement devant la grande table et n'ose pas s'asseoir.

—Maman, où est ma chaise habituelle?

—C'est papa qui…

—Lili, continue son père, tu grimpes tellement souvent debout sur ta chaise pour chanter tes chansons…

—… ou pour danser…, reprend sa mère.

—… que ta chaise est brisée et…, continue son père.

—… que papa a décidé de la réparer! complète finalement sa mère.

Lili est toujours très impressionnée par la façon dont sa mère et son père complètent continuellement les phrases l'un de l'autre. *On dirait des jumeaux identiques*, écrit-elle souvent dans son journal!

—Mais, ma belle Lili…, reprend son père.

—… assieds-toi sur la chaise de Yann!

—NON! crie Lili.

—Mais voyons, c'est quoi…

—… le problème? complète sa mère.

Lili se rend vite à l'évidence qu'elle doit s'asseoir sur la chaise de son frère si elle ne veut pas éveiller les soupçons de ses parents. Pourtant, elle préférerait que Yann soit là. Mais qu'est-ce qu'elle a fait ? Zut de zut ! Et, encore pire, qu'est-ce qu'elle a l'intention de faire ce soir ? ? ?

La veille, son frère Yann est parti pour deux semaines en Saskatchewan avec son école. Depuis son départ, tout va de travers pour Lili.

« Qu'est-ce qui a bien pu me passer par la tête ? » se demande-t-elle, encore debout devant la table de la salle à manger

— Lili, Lili, ça va ?

— Assieds-toi, ma chérie, maman a cuisiné ton plat préféré…

—… du pâté chinois! complète sa mère.

—Mais, maman, papa, qu'est-ce que vous dites-là? dit Lili paniquée. Ce n'est pas mon plat préféré, mais celui de Yann! Comment pouvez-vous me confondre avec lui?

—Calme-toi, calme-toi! Tu es certaine de ça?

—Certaine, certaine, CERTAINE. Je ne suis pas Yann, ah non! BOZO!

*Bozo!* est le juron favori de Yann. « YO BOZO! » ou « BOZO! » Ces expressions sortent de sa bouche presque aussi souvent qu'il respire.

—Non, « bozo »? Hi, hi! tu t'exprimes comme ton frère maintenant?

—Quoi? J'ai dit ça, moi?

—Calme-toi, Lili, calme-toi! De toute façon, assieds-toi sur sa chaise pour ce soir et mange!

Au cours du repas, Lili n'écoute pas vraiment les discussions de ses parents. Elle essaie plutôt de démêler ce qui lui arrive. Entre deux bouchées de pâté chinois, elle se remémore les événements: la veille au soir, en revenant de l'aéroport, après le départ de son frère, Lili se répétait dans sa tête les derniers mots mystérieux que Yann lui avait glissés à l'oreille avant de la quitter pour prendre son avion:

—Surtout, Lili, tu ne touches pas à mon équipement de hockey, surtout pas à mon casque ni à ma nouvelle visière. C'est clair?

—Quoi? Pourquoi me dis-tu ça?

Lili n'avait pas eu de réponse. Toute la soirée, elle s'est demandé pourquoi son frère lui avait parlé de son équipement de hockey. Pourquoi toucherait-elle à son équipement de hockey ? Elle n'avait jamais joué au hockey ! Elle n'avait même jamais eu l'idée de le faire. Enfin, presque jamais… ! Pourquoi son frère lui avait-il dit cela avant de partir pour la Saskatchewan ?

Il est vrai qu'elle va toujours le voir jouer et qu'elle admire le talent de son frère. Le grand numéro huit est le capitaine des Grizzlis et le meilleur marqueur de la ligue Bantam AA. Elle aime le voir patiner à toute allure, déjouer tous les joueurs sur la glace en virevoltant plusieurs fois sur lui-même, puis lancer la rondelle dans le haut du filet avec tant de force que le gardien n'a souvent même pas le temps de bouger.

Yann est un excellent joueur de hockey. Quand il manie la rondelle, plus personne ne peut la lui enlever. Il a toujours été un champion, mais depuis qu'il porte son nouveau casque et sa visière spéciale, il est vraiment hors du commun. Aucun autre joueur ne porte une visière et un casque semblables.

Lili se rappelle avoir vu ses parents revenir en compagnie de son frère avec ce nouvel équipement. Ils étaient nerveux comme s'ils manipulaient une bombe. Lili avait voulu s'approcher pour l'essayer, mais ils l'avaient tous repoussée. En secret, Lili avait écouté certaines conversations et ses parents avaient parlé de carrière, du meilleur équipement possible et du prix qu'il

fallait mettre pour parvenir au but fixé. Lili avait alors supposé que si on ne voulait pas lui parler de ce casque, c'était pour éviter d'éveiller en elle un sentiment de jalousie résultant du prix payé.

Mais, pour Lili, il n'y avait pas de jalousie possible. Un talent est un talent. Et puisque que son frère possédait un si grand talent, il fallait bien lui procurer tout ce qu'il peut y avoir de mieux.

Une chose est certaine, Yann prend soin de son équipement et personne ne peut toucher à ses affaires sans le mettre en colère. Tout de même, Lili trouve un peu bizarre la recommandation faite par son frère à l'aéroport. Après tout, un équipement de hockey, c'est un équipement de hockey, non ? Sans le dire vraiment, Lili, de deux ans sa cadette, a espéré longtemps que son frère, si habile patineur, devienne un excellent patineur artistique !

Lili, qui a maintenant dix ans, suit des cours de patinage artistique depuis bientôt six ans. Elle participe à des compétitions à l'échelle de la province et cumule les médailles au même rythme que son frère collectionne les trophées. Elle a aussi le meilleur équipement possible pour pratiquer son sport.

Mais, il faut bien l'avouer, dans la famille et dans la parenté de Yann et de Lili, le hockey arrive vraiment au premier plan. On aime le hockey au point d'en rêver la nuit. Le père de Yann et de Lili a failli y faire carrière, mais il s'est blessé gravement à une cheville à l'âge de dix-neuf ans. Il participait alors au camp des Flyers de Philadelphie, le club de la Ligue nationale de hockey.

Lili a parfois l'impression qu'elle aurait dû se déguiser en gars pour jouer au hockey comme son frère. Mais tant pis! Elle adore le patinage artistique et ses parents assistent toujours à ses prestations.

Un jour, Lili s'est secrètement dit qu'elle pourrait être une joueuse de hockey. Elle ferait un ailier droit génial pour le joueur de centre qu'est Yann, tellement elle patine vite elle aussi. Son père pourrait être son entraîneur à son tour. Elle deviendrait la meilleure joueuse du quartier, peut-être même de la région, de la province et... Bref, elle serait encore sur la glace! Ce doit être de famille d'aimer autant les patinoires.

\* \* \*

Ses parents la ramènent au présent :

— Lili…, commence son père.

— …mange ton pâté…, continue sa mère.

— … chinois, conclut son père avant de replonger dans une discussion avec sa mère.

— YO BOZO !

Lili vient, à sa grande surprise, de s'exprimer encore comme son frère. « YO BOZO ! » Comment peut-elle employer cette expression qu'elle n'a jamais aimée et que son frère répète à toutes les dix secondes ? Décidément, pense Lili, ça va de mal en pis. Contre son gré, elle joint ses deux mains au-dessus de sa tête et fait craquer ses dix doigts à la manière de son frère. Puis, elle saute sur sa chaise et se met à dévorer une première, puis une deuxième portion du mets préféré de Yann.

—Lili, s'il te plaît, tu manges beaucoup trop vite! disent son père et sa mère en même temps.

— Incroyable, chérie…, commence son père.

—… on dirait que depuis que ton frère est parti…, continue sa mère.

—… tu te prends pour lui! complètent ensemble sa mère et son père!

Lili fait un sourire gêné. Elle a peur que ses parents devinent tout… Lili continue de lever ses mains dans les airs et fait craquer à nouveau ses dix doigts une deuxième et une troisième fois à la manière de son frère. Évidemment, comme son frère, Lili se retrouve en pénitence dans sa chambre pour impolitesse. Zut! ce n'est pas vraiment de sa faute…

## JOURNAL DE LILI

*Jamais je ne me suis sentie aussi bien de toute ma vie. Pour quelques instants, j'étais mon frère, j'étais un joueur de hockey exceptionnel, peut-être même le meilleur joueur de hockey qui n'ait jamais chaussé de patins sur notre planète.*

# CHAPITRE 2

# Jouer au hockey

Lili se rappelle les événements à la fois passionnants et bouleversants survenus la veille, lors du départ de son frère. C'est là que tout a basculé mystérieusement.

Qu'est-ce qui est arrivé exactement ? Hier, dans sa chambre, Lili repensait à toutes les fois où elle s'était imaginée en joueuse de hockey. Alors, sans réfléchir, elle s'est décidée à passer outre à la recommandation de son frère au sujet de son équipement de hockey.

De 23 h jusqu'à tard dans la nuit, Lili, installée dans le garage, a enfilé, enlevé et remis l'équipement de hockey de son frère. En cachette de ses parents, la jeune fille a passé de longues heures à s'amuser à essayer l'équipement. À sa grande surprise, tout lui allait comme un gant. Surtout le casque protecteur qui lui donnait de drôles de sensations chaque fois qu'elle le glissait sur sa tête. Ce casque très spécial a une visière teintée qui cache le visage de celui qui le porte.

Chaque fois que Lili coiffait ce casque, elle se mettait automatiquement à penser autrement. Dans son esprit défilaient des images colorées et tout semblait aller très vite autour d'elle. Des dizaines de stratégies de jeu au hockey s'étalaient devant ses yeux et, comme si

elle regardait un film, elle a revu tous les buts que son frère a marqués dans sa vie.

Chaque fois qu'elle remettait le casque, elle ressentait un sentiment de perfection et de bonheur immense au fond d'elle-même.

* * *

Tout de suite après l'école, Lili se rend à ses cours de patinage artistique. Tous les jours, de 16 h à 18 h, elle chausse ses superbes patins et apprend, avec madame Hoffmaïer, toutes sortes de figures. Dans moins de deux mois, Lili sera soliste au spectacle de fin d'année de son club de patinage artistique, le club Milko. Malgré l'épisode de la veille où elle a revêtu l'équipement de hockey de son frère, Lili se sent bien comme patineuse artistique.

Madame Hoffmaïer est très sévère, c'est sa méthode. Cette dame de plus de 60 ans est Autrichienne d'origine. Elle vit au Québec depuis bientôt 35 ans et forme de jeunes espoirs en patinage artistique. Elle n'en parle pas beaucoup, mais parfois elle montre la médaille d'argent qu'elle a gagnée aux Jeux olympiques de 1968 à Grenoble. Elle le fait pour amener les jeunes filles à rêver d'être un jour médaillées olympiques à leur tour.

Aujourd'hui, Lili est un peu gênée de regarder madame Hoffmaïer dans les yeux. Elle sait qu'on ne peut rien lui cacher. Lili ne veut surtout pas que son entraîneuse sache qu'elle s'est soudainement mise à penser au hockey. Pas plus tard que la semaine passée, madame Hoffmaïer a parlé très durement à une petite fille du club de patin artistique qui avait commencé à patiner avec des patins de hockey.

—Maria, viens ici.

Madame Hoffmaïer avait parlé très fort. Elle voulait visiblement que tout le monde l'entende.

—Maria, je ne comprends pas pourquoi tu patines comme ça. Qu'est-ce qui t'arrive?

—Mais rien, j'ai… je…

La petite Maria était rouge comme une tomate bien mûre.

—Écoutez, tout le monde, je sais ce qui vient de se passer. Maria, tu fais partie du spectacle de fin d'année, n'est-ce pas?

—Oui! a répondu la petite fille, de plus en plus intimidée par les paroles de madame Hoffmaïer.

—Je t'ai même choisie pour faire un minisolo, n'est-ce pas?

—Oui!

Un minisolo dure entre 25 et 30 secondes, alors que le solo que Lili répète depuis quelque temps durera au moins deux minutes. Et Lili sera seule, alors que Maria sera accompagnée de tout un groupe de petits patineurs qui tourneront autour d'elle.

—Maria, tu le mérites, car tu as travaillé très fort depuis le début de l'année.

—Merci!

—Je voudrais qu'on l'applaudisse!

Tout le groupe, Lili en tête, avait applaudi poliment à la demande de l'entraîneuse. Tous savaient cependant que ce compliment serait suivi d'une réprimande.

— Maria, a-t-elle continué comme Lili et quelques autres s'y attendaient, je voudrais que tu nous fasses la minipirouette que tu répètes depuis deux semaines. Je te propose d'exécuter la pirouette la plus simple avec un changement de pied seulement. Facile, n'est-ce pas ?

Oh, oh ! a pensé Lili à ce moment, madame Hoffmaïer a sûrement une idée derrière la tête.

Malheureusement pour Maria, elle a eu beau s'y reprendre par trois fois, elle est tombée à chaque coup. Madame Hoffmaïer était en colère.

—Maria, relève-toi, ce n'est pas parce que tu es tombée que je suis fâchée.

La petite pleurait à chaudes larmes.

—Et je voudrais que tu arrêtes de pleurer. Écoute-moi! Je te connais, ma belle. Je sais, car j'ai deviné, en te voyant patiner tout à l'heure, que tu es allée sur une patinoire extérieure avec des patins de hockey. Est-ce vrai?

—Oui!

—Bon! C'est fini! a dit madame Hoffmaïer en retrouvant instantanément le sourire. Vous ne devriez pas jouer au hockey pendant que vous faites partie d'un spectacle de patinage artistique. Vous avez vu ce que ça fait? Ça détruit votre grâce et votre habileté. Vous perdez ainsi toute votre technique. Maria, retourne avec les plus petites, recommence ta routine. Ne t'en fais pas, car dans une semaine tu auras retrouvé ton sourire. Allez! Vous voulez le faire, ce spectacle?

—Oui!

Toutes les élèves ont répondu en chœur et avec enthousiasme, puisque la tempête était passée.

—Alors, que chacune retourne à son atelier!

Lili réfléchit à cette scène d'il y a une semaine. Elle s'inquiète beaucoup en pensant à son épisode de joueuse de hockey dans le garage. Bon, elle n'a pas patiné, mais tous les rêves qu'elle a faits, toutes les images qu'elle a vues dans sa tête, quels en seront les effets sur son coup de patin?

—Lili, ici, s'il te plaît!

Oh, non! C'est madame Hoffmaïer qui l'appelle!

Lili s'efforce, en s'approchant, de détourner son regard.

—Lili, je t'ai regardée patiner tout à l'heure!

Oh, non! pense encore Lili.

—Lili, regarde-moi quand je te parle. Je veux que tu sois fière, toujours fière de toi. Alors regarde toujours ton interlocuteur droit dans les yeux. Voilà, très bien, Lili! Ça va, toi?

—Oui, très bien! répond Lili en regardant son entraîneuse avec assurance, car au fond, se dit-elle, elle n'a rien fait de mal.

—Ah, voilà, c'est très bien! Lili, tu as gagné en vitesse et je pense que tu mérites de participer aux Jeux du Québec!

—Quoi?

—Attends, attends avant de t'emballer. Pour y participer, il faudra que tu apprennes d'autres figures et que tu travailles très, très fort!

—Ah, oui?

—Oui, mais je sais que tu en es capable. Ton patin est si extraordinaire que tu pourrais envisager de faire carrière. Il y a des gens de ta famille qui patinent?

—Oui, mon frère vole sur la glace!

—Il patine pour quel club?

—Les Grizzlis!

—Qui dirige ce club de patinage artistique?

—Non, c'est un club de hockey!

—Ah!

—Mais il est un excellent patineur, très habile, très rapide. Je tiens ça de lui, je crois.

—Bon! tant mieux, tant mieux! dit madame Hoffmaïer un peu perdue dans ses pensées. Tu veux me faire un simple-piqué? Je voudrais vérifier quelque chose!

—Je peux vous faire un double si vous voulez!

—Oui, oui, ce serait très bien!

En se plaçant pour amorcer sa manœuvre, Lili regrette déjà d'avoir dit cela. Elle craint que sa soudaine folie pour le hockey, même si elle n'est qu'imaginaire, ait troublé son esprit et sa technique. Mais, comme à son habitude, elle aime se lancer des défis. Elle veut en avoir le cœur net.

La technique du double-piqué est tout de même assez compliquée.

Ce saut comporte plusieurs phases et Lili essaie de se les remémorer avant de l'exécuter devant madame Hoffmaïer.

Lili se lance et, à son grand soulagement, elle réussit parfaitement.

— Bravo, Lili, vraiment bravo! Tu parleras à tes parents des compétitions individuelles, car tu as tout le potentiel nécessaire pour aller très loin en patinage artistique. Vraiment bravo! Et prends le meilleur de ce que ton frère possède, mais surtout n'emprunte jamais ses patins et son équipement de hockey!

Lili est retournée s'exercer en se répétant au moins cent fois ces dernières paroles. Elle se demande comment il se fait que cette dame tient tant à éloigner les jeunes du hockey. Elle se demande aussi comment elle a pu se retrouver si à l'écart du hockey alors que tout son entourage adore ce sport. Probablement parce qu'on pense que c'est un sport masculin et que le patinage artistique convient davantage aux filles. Mais au fond d'elle-même, Lili ne comprend pas pourquoi on ne pourrait pas aimer passionnément deux sports de glace.

# CHAPITRE 3

# Le chandail numéro 8

Il a fallu la participation de son frère à un voyage scolaire pour que tout bascule. Lili ne se reconnaît plus. Un rêve longtemps enfoui en elle se révèle très fortement et d'une façon incontrôlable. Le soir même, Lili s'apprête à commettre l'irréparable. Sans l'avouer à ses parents et malgré sa punition pour mauvaise conduite à table la veille, vers 19 h 30, elle décide de sortir de sa chambre par la fenêtre. Elle entre en secret dans le garage, enfile tout doucement l'équipement de hockey de son frère et se dirige vers la patinoire extérieure du quartier. En une heure, au milieu de tous ces garçons, revêtue du superbe chandail numéro huit et de tout l'équipement de Yann, elle marque au moins quarante buts. Elle est devenue Yann.

— Salut, Yann..., l'interpelle d'ailleurs un des joueurs. Tu ne salues plus tes amis, monsieur l'indépendant ?

Lili ne sait trop quoi dire. Avec son casque et sa visière teintée, personne ne la reconnaît et personne ne remarque que Yann a rapetissé d'au moins vingt centimètres. Elle n'entend presque pas les autres joueurs parler, d'ailleurs. Elle entre dans une espèce de transe où rien d'autre ne compte que le hockey.

— Youhou! BOZO, c'est moi, Pierre-Luc. Arrête de dépenser toutes tes forces. Gardes-en pour le match d'après-demain. Voyons, Yann, je ne te reconnais plus! Enlève ton casque ou ta visière. Tu as l'air complètement débile, BOZO. Au fait, tu n'étais pas censé partir en voyage, toi?

Lili ne l'écoute pas, marque trois ou quatre autres buts, soulevant l'admiration des autres joueurs, puis elle s'enfuit chez elle sans dire un seul mot.

Dans le garage, après avoir enlevé l'équipement de hockey de son frère, Lili tombe par terre, complètement exténuée. Lentement, elle retrouve un peu d'énergie, redevient elle-même et réussit à se faufiler jusqu'à sa chambre avant que ses parents ne se rendent compte de sa fuite.

## JOURNAL DE LILI

*Je viens de vivre quelque chose d'extra-ordinaire. Quand je mets ce casque de hockey, je deviens quelqu'un d'autre. Je ne suis plus Lili, je suis une championne, je suis la meilleure. Je joue au hockey. Mon père m'applaudit et ma mère me suit partout. Je me sens tellement bien. Curieusement, c'est quand je l'enlève que je me sens un peu mal et très faible. J'ai le goût de dormir. Je n'écrirai pas long-temps ce soir. Bon! allez! au dodo! Demain est une autre journée! «Allez, Bozo!» Ah, non! je viens encore d'écrire ça. Bonne nuit, Lili! Mais qu'est-ce qui m'arrive? Ce doit-être que je m'ennuie de mon frère.*

# CHAPITRE 4

# Prendre la place de Yann

Toute la nuit, Lili prépare un plan totalement fou. Elle cherche un moyen de participer au match qui aura lieu dans deux jours en tant que joueur étoile des Grizzlis. Dès 7 h du matin, coiffant la casquette des Grizzlis et le survêtement de hockey de Yann, elle se voit devenir une joueuse de hockey. S'il le faut, elle va prendre la place de son frère. Elle n'aura pas besoin, pour l'instant, de tout expliquer à ses parents et à son entraîneuse. Elle va concevoir un plan risqué mais excitant.

Le lendemain matin, Lili fouille dans l'ordinateur de son frère et y trouve l'adresse de courriel de monsieur Dupont, l'entraîneur des Grizzlis. En se faisant passer pour Yann, elle lui écrit qu'il n'est finalement pas parti en voyage et qu'il sera au match de demain soir. Lili invente qu'il arrivera au match à la dernière minute et qu'il aura déjà revêtu sa tenue de sport. Si l'instructeur est d'accord, il n'aura qu'à répondre par courriel.

Toute la journée, à l'école, Lili ne se sent pas très bien. Elle pense sans cesse au casque de hockey de son frère. Elle ne sait trop pourquoi, mais elle a le goût de le mettre sur sa tête. Dans son cahier, elle ne prend aucune note mais se concentre plutôt sur la précision de dizaines de dessins qu'elle trace avec une grande concentration.

—Lili, lui chuchote tout doucement son amie Julie, qui est assise juste à côté d'elle dans la classe. Youhou! Tu es où, là?!

—Quoi?

Julie profite d'une brève absence du professeur, parti en quête de bâtons de craie dans la classe voisine.

—Lili, parle-moi, tu me fais peur aujourd'hui!

—Hein? Pourquoi? répond Lili perdue dans ses pensées.

—Le professeur n'arrête pas de te regarder. Cesse de dessiner et écoute les explications, voyons! Je ne te reconnais pas ! dit Julie en prenant le cahier de Lili dans ses mains.

Elle se rend compte que Lili a dessiné plusieurs fois le casque protecteur numéro huit de Yann. Elle a aussi dessiné des patins de hockey en gros plan et une rondelle qui entre dans le but.

— Qu'est-ce que tu fais, un reportage ou quoi ?

Durant le reste de l'après-midi, Lili se concentre un peu plus sur ce qui se passe dans sa classe. Les images du casque de Yann et de l'équipement de hockey commencent à s'estomper et elle se sent mieux.

Lili se rend tout doucement compte que de drôles de sensations lui traversent le corps depuis qu'elle a enfilé l'équipement de son frère.

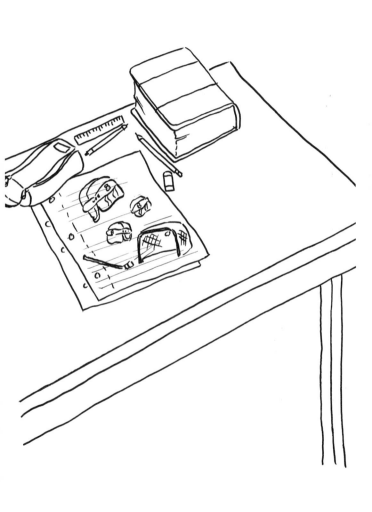

# CHAPITRE 5

# Le hochey et le patinage artistique

En sortant de l'école, Lili se rend comme d'habitude à l'entraînement de patinage artistique. Elle est contente d'être là, mais elle redoute tellement ce qui pourrait se passer. Heureusement, madame Hoffmaïer n'est pas là pour le début de la séance. C'est son assistante, Caroline, qui la remplace. Lili tombe au moins quatre fois en moins de deux minutes. Elle trébuche dans les petites pointes de métal qui hérissent l'avant des patins de patinage artistique. Voilà bien cinq ans, pourtant, que ces pointes ne la font plus chuter.

À sa cinquième chute, Caroline vient la voir.

—Lili, ça va ?

—Non, je… j'ai l'impression d'avoir tout oublié ! Je patine comme si j'étais un joueur de hockey ! dit Lili en riant.

Elle sait bien que Caroline n'en fera pas tout un plat.

—Ça arrive parfois.

En disant cela, Caroline prend Lili par la main et l'entraîne dans le vestiaire.

—Prends ton temps. Pense à la base du patinage. On met un pied devant l'autre, on fait attention avec les pointes.

—J'ai peur. Si madame Hoffmaïer me voit comme ça, elle ne m'inscrira jamais aux Jeux du Québec.

—Lili, tu sais que je te trouve très bonne. Tu as beaucoup de talent !

—Merci, Caroline !

—Es-tu certaine d'aimer le patin artistique ?

—Oui, vraiment certaine. J'aime aussi plusieurs sports, mais j'adore patiner, en fait... Le problème est que cette semaine, il se passe de drôle de choses dans ma tête et... j'ai tout oublié !

Madame Hoffmaïer se présente dans la porte du vestiaire.

—Caroline, ça va ? demande madame Hoffmaïer.

—Oui !

—Lili, je peux te voir sur la glace ? J'ai quelque chose à te montrer.

—Euh !

—Donnez-nous cinq minutes, madame, s'il vous plaît !

—Dans cinq minutes sur la glace devant tout le groupe, sans faute ! dit-elle avec un sourire qui fait peur.

Lili se tourne vers Caroline.

—Elle sait sûrement que je suis tombée cinq fois !

—Chut, chut ! Le patinage artistique, c'est compliqué, mais c'est aussi presque magique. Quand ton corps a bien senti un mouvement, il est enregistré à jamais dans tes muscles, dans tes os, dans ton regard et dans ta mémoire !

—C'est vrai ? Il n'y a rien qui peut effacer ça ?

—Rien ! Maintenant, je vais t'aider à retrouver tout ça. Ferme tes yeux et écoute-moi !

Caroline fait une révision de tous les exercices et figures que Lili a appris au fil du temps. Le patin simple, les sauts de carre (l'axel, le salchow, la boucle ou *loop*), les sauts piqués (le lutz, les boucles piqués, le flip), les pirouettes de base, la pirouette debout, assise, allongée ou arabesque. Lili écoute et a l'impression de vivre dans un monde très flou. Tout cela lui dit quelque chose mais lui semble si lointain.

—Ça va, Lili ?

—Oui, mais je ne suis pas certaine… je crois que je ne me souviens plus de rien ! Je mélange toutes sortes de choses, la gymnastique que je fais à l'école, le volley-ball, le hockey… oups ! dit Lili en se prenant la tête entre les mains.

—Ne panique pas, ne panique jamais. Ton corps, lui, est capable de faire la différence entre tout ce que tu as fait ! Fais-lui confiance. Tu vas voir, un déclic va se faire d'un coup sec. Tu vas entendre un mot, tout va te revenir.

Dans la porte, madame Hoffmaïer fait signe à Lili de venir la rejoindre. Lili se lève et se sent très mal.

—Lili, lui dit Caroline, quel est le premier saut que tu as appris ? Tu as commencé à six ans, je crois ?

—Oui !

—Et qu'est-ce que tu as aimé tout de suite ?

—Mes patins !

—C'est bon ! Le patinage artistique, c'est d'abord du patin ! Et ensuite, quand tu es entrée sur la glace ?

—J'aimais que ça glisse ! Et dès le début je réussissais à ne pas tomber. Je faisais comme mon frère et j'essayais de déjouer les autres sur la glace.

—Et qu'est-ce que tu as appris ?

—Que la glace, c'était très dur ! Parce que je suis quand même tombée une ou deux fois !

—Et là, est-ce qu'à un moment donné tu t'es mise à aimer le patin artistique ?

—Je ne sais pas…

Lili se lève et se dirige vers la glace, poussée gentiment par Caroline. Puis, en voyant la glace devant elle et en y posant le patin, elle se rappelle la première fois qu'on lui a montré une figure de patinage !

—Un lapin…, dit Lili à Caroline, je disais à tous mes professeurs que je voulais faire un saut de lapin.

—Merveilleux, tous les autres sauts qu'on te demandera de faire seront des sauts de lapin. Pour ton corps, c'est la même chose.

—Quoi ?

—Tu aimais faire les sauts de lapin ?

—Oui, parce qu'enfin je voyais qu'on pouvait aimer autre chose que le hockey. Tout le monde parlait de hockey à la maison et mon frère jouait toujours avec moi. Puis, à partir du moment où j'ai fait mon premier saut de lapin, j'ai eu le coup de foudre pour le patinage artistique.

— Tu as continué à jouer au hockey ensuite ?

— Oh, non ! Madame Hoffmaïer n'aurait pas été contente !

— Tu sais, Lili, qu'on peut aimer deux sports ?

— Mais pas le hockey, hein ?

— Pourquoi pas ? Moi-même je joue au hockey dehors avec mes garçons et ma fille. J'arrive toujours à reprendre ma technique facilement. Madame Hoffmaïer est restée avec un mauvais souvenir du hockey, parce que son fils, qui aimait follement ce sport, a attrapé une maladie qui lui a été fatale. C'est pour ça qu'elle ne veut plus entendre parler de ce sport. Mais nous, rien ne nous empêche de l'aimer!

—Merci, Caroline! dit Lili un peu rassurée.

En se rendant au centre de la glace devant les regards de tout le monde, Lili décide d'exécuter une série de sauts de lapin qui font bien rire tout le monde. Puis elle patine à toute vitesse jusqu'au bout de la patinoire, prend un balai qui traînait sur le bord des bandes et revient sur la patinoire vers le groupe en faisant semblant de déjouer tout le monde. Revenue devant madame Hoffmaïer, elle lance une rondelle invisible, après quoi elle fait trois sauts de lapin.

Ainsi, la mémoire de Lili lui revient et tous les exercices que madame Hof-maïer lui propose par la suite, elle les

réussit à merveille. À sa grande surprise, son entraîneuse ne lui tient pas
rigueur de ce petit numéro de hockey
artistique. L'important pour elle,
semble-t-il, est que les figures soient
bien exécutées.

## JOURNAL DE LILI

*11 h 00 du soir. Au souper, j'ai encore dit une bonne dizaine de « Yo Bozo ! » et j'ai encore été punie par mes parents. Heureusement, cela m'a permis de sortir de la maison en cachette. Je me comporte vraiment de manière bizarre dans tout ce que je fais. Un peu comme mon frère, d'ailleurs. Qu'est-ce qui m'arrive ? Je suis encore allée jouer au hockey dehors avec l'équipement de mon frère. Je ne sais pas ce qui se passe, mais j'ai adoré cela encore une fois. Je ne peux plus me passer de ce casque numéro huit. Ce soir, pour dormir, je le garde sur ma tête ! Je suis possédée ! Et ce casque change toute ma façon de penser. Hockey, hockey, hockey, il n'y en a que pour le hockey. J'aime le hockey, mais tout cela me fait peur.*

# CHAPITRE 6

# Possédée
# par le hockey

Au déjeuner, Lili s'excuse auprès de ses parents pour sa conduite de la veille. Ils acceptent ses excuses et lui disent qu'ils s'inquiètent un peu de son comportement. Son père informe Lili que sa chaise est réparée. Lili s'assoit tout de même à la place de Yann et, tout au long du déjeuner, se concentre beaucoup plus sur la section sportive du journal que sur les discussions habituelles avec ses parents.

Avant de courir prendre son autobus, Lili file au garage, coiffe le casque de son frère et profite de cette énergie retrouvée pour s'élancer vers le coin de la rue. En voyant sa meilleure amie Julie s'approcher, elle enlève son casque et le cache dans son sac à dos et saute dans l'autobus numéro six. Julie la sauve d'un premier faux pas en la sortant de force de l'autobus de son frère, qui passe cinq minutes avant le sien. Julie et Lili doivent prendre l'autobus quinze et non le six.

— Lili, qu'est-ce que tu as depuis deux jours ? lui demande Julie dans l'abribus. Tu es vraiment bizarre. Que faisais-tu dans l'autobus de ton frère ?

— Julie, il faut que tu m'aides. Est-ce que je peux dormir chez toi ce soir ?

— Quoi ?... Oui... peut-être... sûrement !

—Combien d'argent as-tu? J'ai besoin d'argent pour ce soir, pour prendre un taxi!

—Quoi? Un taxi?

—Oui, j'irai à l'aréna vers 8 h.

—Tes parents ne sont pas là?

—Oui, mais je ne veux pas qu'ils le sachent! Après le match…!

—Le match? Quel match?

—Euh!… après ma compétition de patin…

—Tu as une compétition de patin en pleine semaine d'école? Je croyais que c'était seulement la fin de semaine!

—Oui, mais je… j'apprends des nouvelles techniques de patinage. Je dois aller à l'aréna ce soir. Après, je vais rentrer chez toi en taxi. J'arriverai vers 10 h, parce que

le match… euh! la compétition se termine à ce moment-là… Peux-tu inventer
quelque chose pour que tes parents acceptent? Je vais dire aux miens que je suis
chez toi à compter du souper! Mais sois
discrète, d'accord?

—Lili, je ne comprends rien à ce que
tu dis!

Au moment où Lili s'apprête à
répondre, elle sent une grande faiblesse
et devient toute pâle. Avant de perdre
connaissance, elle se penche et glisse sa
tête dans son sac à dos pour y enfiler le
casque de son frère. Julie la regarde
portant un sac à dos sur la tête et se met
à rire.

—Lili, qu'est-ce que tu as? Je pense
que tu ferais mieux de rentrer chez toi.
Tu délires, on dirait!

—Julie, je… j'ai… un grand problème… je suis… Ne le dis à personne, mais je suis possédée par un casque de hockey!

Julie éclate de rire.

—Lili, tu blagues, j'en suis certaine. Je ne te reconnais plus. Tu ressembles maintenant à ton frère, toujours en train d'inventer mille histoires.

—Quoi? Qu'est-ce que tu dis? Tu ne me crois pas?

—Croire à quoi?

Lili, voyant que son amie ne l'appuie pas, fait semblant de se sentir vraiment mal. Elle ne monte pas dans l'autobus et retourne chez elle, abandonnant son amie Julie. Un peu paniquée en se rendant compte que ses parents ont déjà quitté la maison pour le travail et ne sachant plus du tout quoi faire, elle décide d'appeler sa tante Dominique, la seule personne sur terre qui pourra peut-être la comprendre.

—Dominique, c'est Yann, euh!... c'est Lili, vite, peux-tu venir chez moi, je ne me sens vraiment pas bien!

—Ta mère est là?

—Non... je suis seule et je suis folle, je pense. Vite, Dominique!

À ces mots, Lili s'évanouit.

—Lili, Lili, réponds-moi, Lili, qu'est-ce qui se passe?

Lili est étendue au sol, le combiné du téléphone à ses côtés. En tombant, son sac à dos s'est ouvert. Le casque de hockey de son frère gît à côté d'elle.

# CHAPITRE 7

# Dominique

Une heure plus tard, Dominique et les parents de Lili sont à son chevet. Lili reprend tranquillement ses esprits.

—Tu es certaine que tu te portes bien, ma belle ? lui demande sa mère.

—Oui… c'est peut-être une grippe !

—Tu ne fais même pas de fièvre !

—Ça va, ça va, je vous assure, je vais rester aujourd'hui avec Dominique et vous allez voir que j'irai mieux. Es-tu libre, Dominique ?

— Oui, oui, à condition que tes parents acceptent !

Dominique prend sa sœur Hélène à part et lui dit :

— Tout va bien aller, tu vas voir. Ne t'inquiète pas. Ta fille n'a pas perdu la tête, je suis psychologue, n'oublie pas !

— Appelle-nous, s'il y a quoi que ce soit !

Dominique rejoint Lili dans sa chambre.

— Oh ! ma tante, je suis tellement contente que tu sois là !

— Moi aussi, ma belle.

—Tu vas m'aider, hein ? Tu vas m'aider, hein ? Ce soir, peux-tu venir avec moi à l'aréna ?

—À l'aréna ?

—… et ne le dis pas à mes parents, demande Lili.

—Lili, tu n'es pas en état. Je pense qu'on devrait plutôt aller à l'hôpital ! Je te trouve encore une fois très pâle, tes yeux tournent !

—Non, non, ça va bien ! Ah ! c'est facile à régler, je peux retrouver toute mon énergie en deux secondes. Attends-moi ici.

Lili marche difficilement en s'appuyant sur les murs jusqu'au casque de Yann. Dominique la suit pour l'empêcher de se faire mal. Lili remet le casque de hockey sur sa tête. En moins de dix secondes, elle retrouve toutes ses forces.

—Dominique, ce soir, je vais jouer au hockey pour les Grizzlis. Ne le dis à personne!

Ainsi affublée du casque de Yann, Lili grimpe sur une table et lance à gauche et à droite:

—ET C'EST LE BUT! YO BOZO! Je suis le meilleur joueur de hockey du monde!

Dominique rigole un peu, puis elle s'approche de Lili et essaie de lui enlever son casque. Lili résiste et commence à crier de plus en plus fort.

—Lili, arrête ça, tu me fais peur, on dirait la voix de ton frère Yann!

—Justement!

Lili enlève elle-même son casque et tombe tout de suite dans les pommes.

* * *

Dominique la transporte jusqu'à son lit et la réveille tout doucement. Lili, en reprenant ses esprits, prend un peu conscience de ce qui lui arrive.

— Dominique, qu'est-ce qui se passe ?

— Chut ! Calme-toi, Lili ! Et explique-moi ce qui t'est arrivé ! Sinon, je ne pourrai pas t'aider… Si tu ne reprends pas tous tes esprits, nous devrons nous rendre à l'hôpital, ma belle.

Lili indique à Dominique l'endroit où elle cache son journal et l'invite à prendre connaissance des événements des derniers jours qui y sont relatés. Au

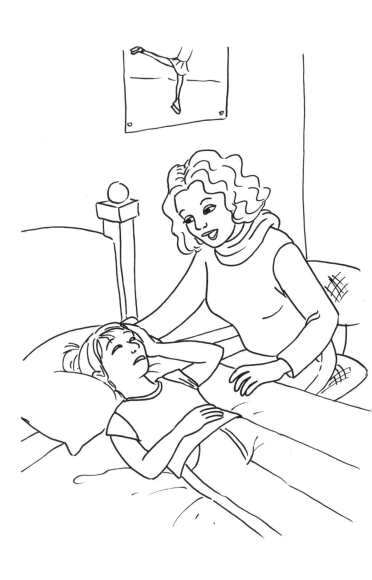

bout d'une demi-heure, Dominique termine sa lecture et décide d'intervenir.

—Lili, je ne comprends pas tout ce
qui t'est arrivé, mais je pense qu'il va
falloir t'éloigner un peu d'ici et de cet
équipement de hockey. Surtout du
casque et de la visière.

—Non, Dominique, ne fais pas ça, s'il
te plaît!!

—Viens, ma belle, viens!

Lili, très faible, accompagne Dominique jusque chez elle. Sa tante lui prépare son mets préféré, de la truite
arc-en-ciel servie avec du riz et une
salade d'artichauts. Et tout en lui
préparant un gâteau au chocolat fon-
dant, elle raconte à Lili des souvenirs de
leur voyage l'an dernier au bord de la
mer. Ensuite, croyant avoir trouvé une

façon de ramener Lili à la réalité, elle sort un album photo. Lili dévore ces souvenirs comme elle a dévoré son repas. Au bout d'une heure de ce régime, Lili est redevenue elle-même, totalement.

— Dominique, dit soudainement Lili, je suis un peu troublée ! Je ne comprends pas ce qui m'est arrivé. C'est probablement le casque qui dégage une énergie spéciale.

— Peut-être, Lili, mais j'ai appris dans ma carrière de psychologue que les choses mystérieuses sont parfois beaucoup plus simples qu'elles ne le semblent.

— Ah, oui ?

— Tu sais ce que je pense ? Je pense que tu as oublié de t'écouter depuis trop longtemps. Je t'ai regardée toute l'année dans les gradins pendant que ton frère jouait au hockey. Tu étais plongée dans un état très spécial, justement. Et, dans ton journal, tu as remarqué ?

—Remarqué quoi ?

—Depuis le début de l'année, tu ne parles presque plus de ton patinage artistique, des garçons de ta classe, de tes professeurs ou de ton amie Julie ; non, tu parles de Yann et surtout des stratégies de hockey !

—C'est vrai ?

# JOURNAL DE LILI

*Ma tante a raison. J'ai d'ailleurs relu d'autres pages de mon journal des mois passés : il contient tellement de passages passionnés à propos de ce sport. Je n'ai aucune amie qui joue au hockey, ce qui fait que je ne m'en étais même pas aperçue. Au bout d'un bon moment de lecture, je me suis remise à sourire et ma tante m'a fait le plus beau cadeau que j'ai jamais reçu de toute ma vie. Elle m'a dit :*

*— Lili, j'ai appelé ta mère et ton père ; ils sont d'accord ! Viens, si toi tu le veux bien, on va viser très haut...*

*Et là, plusieurs petits miracles sont survenus. Ma tante Dominique est une*

*femme vraiment dynamique et extraor-*
*dinaire. Elle a insisté pour me faire ren-*
*contrer monsieur Lalancette, le directeur*
*de l'Association de hockey mineur de ma*
*région.*

# CHAPITRE 8

# Du rêve à la réalité

Deux jours plus tard, Lili se retrouve dans le bureau de monsieur Lalancette.

—Bonjour, mademoiselle, lui dit-il avec un grand sourire, que puis-je faire pour vous ?

Lili remarque le regard complice entre Dominique et le directeur de l'Association.

—Vous aimez le hockey, paraît-il ?

—Oui, j'adore le hockey !

—Je sais que vous aimez beaucoup le patin artistique. Très beau sport aussi! On m'a même dit que vous êtes une des meilleures de votre club.

—Merci, monsieur, mais pourquoi je suis ici?

—Si vous le voulez et grâce à l'insistance et à la persévérance de votre tante Dominique qui m'a appelé douze fois depuis hier…

—Paul, tu exagères… onze fois!

—Dominique, je les ai comptées, douze fois, et c'est sans compter les courriels: quatorze… Bref, mademoiselle Lili, on m'a dit que vous étiez une vraie passionnée de hockey sur glace et une excellente patineuse… Les horaires de vos deux sports semblent compatibles d'ici la fin de l'année, vos résultats scolaires sont bons, vos parents sont d'accord et Dominique insiste pour que vous participiez à une séance d'entraînement avec une équipe féminine! Donc, demain à 16h, vous êtes invitée à vous joindre à l'entraînement des Aigles, à l'aréna Mike-Bossy!

—Quoi? Un entraînement?

—Dominique, ne me dis pas que tu as tout fait ça pour rien? Ta nièce n'est pas intéressée?

—Pas intéressée? Vous voulez rire?

—Viens, Lili, nous allons te procurer un équipement pour l'entraînement de demain.

## JOURNAL DE LILI

*Ma tante Dominique est un ange; elle a tout organisé! Je serai, d'ici la fin de l'année, joueuse substitut dans une équipe féminine de hockey, catégorie Atome (9-10 ans). Et je vais continuer à faire du patinage artistique, un sport que j'aime beaucoup pratiquer aussi.*

*Je suis extrêmement nerveuse. Hier, une autre chose étrange m'est arrivée. En allant magasiner pour mon équipement de hockey, tout s'est déroulé normalement jusqu'à ce que je commence à examiner les casques et les visières. Ma tante Dominique m'a alors dit de laisser faire parce qu'elle avait un autre plan.*

*Aussitôt sortie du magasin avec tout un équipement neuf bien rangé dans mon nouveau sac de sport, ma tante a refusé de me dire où nous allions. Elle m'a même obligée à me bander les yeux. En chemin, elle m'a expliqué qu'elle avait réussi à joindre mon frère Yann en Saskatchewan, qu'elle lui avait tout expliqué et que je devais me soumettre à cette condition pour pouvoir me rendre à cet endroit. Mais de quel endroit parlait-elle?*

*Nous nous sommes retrouvées à l'intérieur d'un vieux magasin poussiéreux. Autour de moi, la pièce était remplie de vieilleries de toutes sortes: des instruments de musique géants, des livres poussiéreux, des miroirs sculptés, des fruits absolument inconnus, des luminaires aux formes assez mystérieuses…*

Il y avait aussi des microscopes, des appareils électroniques ultramodernes et plein de pièces d'antiquité. Bref, j'avais l'impression d'être dans un film fantastique. Visiblement, on fabriquait là des choses spéciales.

Une vieille dame asiatique m'a prise par le bras et m'a entraînée avec insistance derrière une immense porte de bois grinçante.

De l'autre côté de la porte, un tout petit monsieur très nerveux est passé par là à toute vitesse. Il s'est arrêté, a échangé quelques mots avec la dame dans une langue que je ne comprenais pas, puis il s'est retourné vers moi et m'a fixée droit dans les yeux. Il est resté ainsi immobile pendant au moins deux ou trois minutes. J'ai l'impression qu'il m'a fait passer un test. Il semblait me dire : « Es-tu assez fière et forte de caractère pour porter toi aussi un casque spécial?»

J'ai décidé de ne pas baisser les yeux; j'ai soutenu son regard et, au bout d'un moment, j'ai avancé vers lui. Un peu intimidé, il a reculé et s'est cogné sur une étagère. J'ai continué à avancer vers lui et je me suis retrouvée nez à ventre contre un géant, laid comme personne. Il s'est mis à hurler toutes sortes de mots que je ne comprenais pas. J'ai cru tout à coup percevoir dans ses propos le nom de Yann Lapointe.

Je lui ai dit très fort:

— Oui, je veux un casque et une visière comme Yann Lapointe!

Aussitôt ce nom prononcé, le géant s'est arrêté de crier et a commencé à me parler avec grande civilité:

— Quoi ? Vous avez dit Yann Lapointe ?
Vous êtes sa sœur, sans doute ? Ah, oui !
je comprends votre présence ici maintenant. Venez, chère amie !

# CHAPITRE 9

# Un casque branché

Lili a relaté dans son journal tous les détails de ce qui s'est passé dans cette boutique. Les commerçants lui ont fabriqué un casque adapté à la forme de sa tête. Ensuite, ils ont soufflé et moulé une visière aux couleurs et à la forme désirées par elle. Mais surtout, ils l'ont traitée avec tant d'égards et de respect que Lili en a été totalement bouleversée. Le vieux Chinois s'appelle Yung. En faisant plusieurs essais du casque sur sa tête, il lui a dit de ne pas s'en faire pour ce qu'elle a ressenti en portant le casque de Yann.

— Nous ne faisons pas beaucoup de ce genre de casques. Et seulement sur recommandation. Seuls quelques joueurs de la Ligue nationale de hockey en ont un. Mais tout doit demeurer secret. Nous ne sommes pas spécialisés en casques de hockey et en visières, mais dans la recherche sur les rapports entre le cerveau et la passion que certaines personnes éprouvent pour un sport ou un travail. Nous sommes des chercheurs, des scientifiques, et nous voulons aider ceux qui désirent exceller dans le domaine qui les passionne. Nous cherchons à savoir ce qui se passe dans le cerveau et dans le corps quand une personne ressent de la passion.

Alexander Ovechkin est notre proto-type. Comme vous le savez peut-être, Liliane, ce joueur est un vrai passionné. Nous voulions aussi faire des tests sur un jeune joueur prometteur et, après en avoir discuté très longtemps avec plu-sieurs recruteurs de la ligue, nous avons compris que votre frère Yann deviendra, selon les experts, une future grande vedette du hockey. Mais le plus impor-tant, c'est qu'il est un passionné. Alors, nous lui avons demandé de faire l'essai de ce casque. Il a accepté ! Ces casques feront partie de l'équipement de tous les joueurs d'ici trois ou quatre ans, d'ailleurs. Ils sont ajustés à chacun et procurent un confort maximum.

* * *

Ce soir-là, au club de patinage artistique, Lili arrive une demi-heure plus tôt que d'habitude. Elle en profite pour chausser ses tout nouveaux patins de hockey. Elle coiffe aussi son casque et sa visière pour en éprouver l'effet.

Sur la glace, seuls quelques jeunes patinent, une grand-maman, un monsieur avec son casque et un surveillant. Lili est très nerveuse, elle se demande si ses pensées vont commencer à changer comme quand elle portait le casque de son frère. Or, rien de tout cela ne se produit. Au contraire, tout se passe parfaitement bien. Elle se met à patiner de plus en plus vite et y trouve un plaisir extrême. Le surveillant vient l'avertir quelques fois de ralentir un peu la cadence, car même si la glace est presque vide, il craint qu'à la vitesse où elle va,

elle puisse faire perdre l'équilibre à quelqu'un.

Dans les gradins, des murmures se font entendre devant cette simple démonstration de patinage de puissance. Madame Hoffmaïer discutait avec Caroline Lacroix quand elles se sont toutes les deux mises à observer ce patineur. Avec ses patins de hockeyeur et sa visière, Lili passe facilement pour un garçon.

—Caroline, chuchote madame Hoffmaïer en observant attentivement ce patineur à la fois élégant et puissant, c'est exactement ce genre de patineur qu'il nous faudrait pour le spectacle.

—Oui, mais n'oubliez pas que c'est un patineur de hockey. Il a une technique très différente de celle des patineurs que nous cherchons.

—Oui, et comme on l'a vu si souvent, ma chère Caroline, les joueurs de hockey, quand ils chaussent des patins de patineurs artistiques, sont complètement perdus sur la glace. Ils font des faux pas ou trébuchent dans les petites dents en métal, non ?

—Oui ! Vous n'aimez pas les joueurs de hockey, hein ? Pourtant, vous avez vu Lili l'autre jour, elle imitait le style de patinage du hockey devant vous…

—Oui…

Sur la glace, Lili termine un dernier tour en exécutant plusieurs sauts de lapin. Puis, elle se met à faire des pirouettes et des figures de toutes sortes. Parfois, elle fait du patinage de hockey comme l'autre jour. Sa passion semble si forte que le surveillant et les quelques personnes présentes lui laissent tout l'espace glacé. Son plaisir du patin artistique se mêle à sa passion toute nouvelle pour le hockey. La routine qu'elle improvise dure au moins trois minutes. Ce qu'elle accomplit est tout à fait exceptionnel. Au point où Caroline et madame Hoffmaïer l'applaudissent à tout rompre quand elle salue, à la fin.

— Pardon, pardon, mon garçon, dit Caroline en rejoignant Lili au centre de la glace. Nous aimerions vous parler quelques minutes.

Lili s'approche de madame Hoffmaïer qui la félicite :

— Bravo, mon garçon, tu me réconcilies presque avec le hockey. J'avais l'impression de revoir mon fils, qui était le dernier que je connaissais à pratiquer ces deux sports. Ça prend de la passion et de la détermination. Habituellement, c'est très difficile à concilier.

—Je ne suis pas un garçon! dit Lili en baissant la tête et en déguisant un peu sa voix.

Elle ne sait pas trop comment elle s'en sortira.

—Ah, non? Et vous jouez au hockey, je crois?

—Oui! Je fais aussi du patinage artistique, mais je n'ose pas en parler à mes entraîneuses!

—Pourquoi? demande Caroline.

—Parce que c'est interdit par madame…

—Lili? Vous êtes Lili, n'est-ce pas? demande madame Hoffmaïer.

Lili enlève son casque et reçoit une chaleureuse accolade de ses deux entraîneuses. Elle apprend alors que le fils de madame Hoffmaïer pratiquait les deux sports avant d'abandonner à jamais le patinage artistique pour se consacrer uniquement au hockey. Cette décision avait beaucoup peiné sa mère.

—Lili, bien entendu, tu peux continuer les deux si tu veux. Tu pourrais même entraîner des plus jeunes, qu'en penses-tu?

—Pourquoi pas?

—Et peut-être que quelques gars voudront venir au patinage artistique?

# CHAPITRE 10

# Un premier match

Désormais, Lili vit au maximum son rêve bien à elle, c'est-à-dire celui d'essayer de devenir la meilleure joueuse de hockey possible. Meilleure au monde ? Joueuse de la Ligue nationale ? Peut-être pas, mais elle saura assurément donner le meilleur d'elle-même.

Lors du premier entraînement des Aigles Atome, Lili obéit aux ordres de l'entraîneuse, madame Louise Charron. Comme elle ne s'est entraînée que deux fois, madame Charron l'informe qu'elle ne jouera pas tout de suite.

Toutefois, au cours de la dernière partie de la saison régulière des Aigles, un événement spécial se produit. Madame Charron insiste pour que Lili enfile tout son équipement et qu'elle participe à la période d'échauffement de trois minutes qui précède la mise au jeu initiale. Lili n'en revient pas. Quand elle pose ses lames de patin sur la glace, elle regarde tout autour et aperçoit dans les gradins sa mère, son père, monsieur Lalancette, sa tante Dominique, madame Hoffmaïer, Caroline Lacroix, son cousin André, sa meilleure amie Julie, des filles et des gars de son école et, surprise! son frère Yann. C'est la première fois depuis son retour de voyage que son frère vient la voir jouer.

Durant l'échauffement, elle rate quelques passes et lance à côté du filet, tellement elle est nerveuse. Après ces trois minutes, Lili doit retourner au vestiaire pour enlever son équipement et venir encourager ses coéquipières, bien assise dans les estrades avec ses amis. D'ici la fin de l'année, madame Charron lui a promis qu'elle lui permettrait de jouer une fois ou deux, mais pas maintenant.

Or, juste avant que la partie ne débute réellement, un conciliabule a lieu entre l'entraîneuse et les joueuses. Madame Charron insiste pour que Lili assiste à ce discours, toujours habillée en joueuse de hockey.

—Les filles, commence madame Charron, j'ai une question à vous poser, et pour que votre réponse soit valable, elle doit être unanime. Lili, tu n'as pas le droit de vote !

—Madame Charron, dit aussitôt la capitaine et étoile de l'équipe, Clara Laliberté, celle qui porte le chandail numéro 13, Lili fait partie de l'équipe, elle a donc aussi le droit de voter.

—Bon ! d'accord, si tu insistes… tu es la capitaine. J'ai besoin d'un vote unanime. Lili, tu votes, toi aussi. Alors, voilà : si vous êtes d'accord, nous allons faire un cadeau à notre recrue. Je lui permets de jouer une fois durant la partie. Lili va ainsi pouvoir jouer sa première partie avec nous. Si vous êtes d'accord, levez votre bâton et dites : « Allez, les Aigles ! »

Toutes les filles ont constaté l'énorme potentiel de Lili. Elles lèvent leur hockey et se tournent vers Lili qui fige sur place. Lili regarde l'entraîneuse, puis les joueuses, sans savoir comment réagir. Finalement, elle se tourne vers Yann, dans les gradins, qui crie très fort : « Allez, Lili ! Allez, les Aigles ! » Alors Lili lève aussi son bâton bien haut et toutes les filles crient avec elle : « Allez, les Aigles ! »

## JOURNAL DE LILI

*Il est 3 h du matin. Je n'arrive toujours pas à dormir. Je viens de vivre la plus belle journée de ma vie. À treize minutes de la troisième période, le score était de deux à deux. C'est alors que madame Charron a placé sa main droite sur mon dos, sur mon numéro huit. Je me suis retournée vers elle et j'ai compris que j'allais enfin faire ma première présence sur la glace au sein d'une équipe de hockey. Elle n'avait pas osé me faire jouer auparavant, tellement la partie était serrée jusqu'à ce moment.*

*Tout s'est alors déroulé comme dans un rêve. L'autre équipe venait d'écoper* d'une punition. Je jouais à droite de Clara Laliberté, notre capitaine et étoile. À gauche, il y avait la petite numéro sept, Lucie Langlois, et à la défense, Martina et Lina, les deux jumelles d'origine russe. Avant la mise au jeu, Clara est venue me voir et m'a dit : « Fais comme Ovechkin, tourne autour du point rouge dans notre zone et quand je crie ton nom, patine à toute vitesse vers le but adverse, tu vas recevoir la rondelle sur la palette de ton hockey à leur ligne bleue. Tiens ton hockey solidement et tout va bien aller. Après, sers-toi de tes talents et fais-nous gagner ! »

Clara, comme prévu, remporte la mise en jeu, remet la rondelle à l'arrière de notre filet à Martina qui la remet à Lina, attirant du coup deux joueuses adverses. En les voyant faire, je me suis sentie très nerveuse. J'ai alors pensé à mon frère et j'ai touché à mon casque et à ma visière. Je me suis tout de suite sentie heureuse et fière de moi. Je vivais ma passion.

Comme prévu, j'ai commencé à faire le tour du point rouge de mise en jeu dans notre territoire. J'ai ensuite accéléré et je suis demeurée derrière le jeu, à la manière du super-électrisant-champion Alexander Ovechkin. Lina a passé la rondelle à Lucie, qui l'a aussitôt remise à Clara, qui a attiré deux autres joueuses à notre ligne bleue en s'éloignant de moi et en me tournant le dos.

Pendant ce temps-là, j'ai mis du feu dans mes patins. Je n'ai pas hésité une seconde à patiner à toute vitesse vers le filet adverse. Mon hockey bien à plat sur la patinoire, j'ai franchi notre ligne bleue, j'ai dépassé la ligne rouge du centre de la patinoire et, juste avant de franchir la ligne bleue adverse, je me suis retournée vers Clara. La rondelle est arrivée comme un boulet de canon sur la palette de mon hockey. Par bonheur, j'ai réussi à la maîtriser et, comme dans un film, je me suis retrouvée complètement seule, filant vers la gardienne de but, la victoire de mon équipe au bout de mon hockey.

J'ai foncé à vive allure vers la gardienne et, faisant mine de déjouer vers la gauche, j'ai poussé la rondelle au fond du filet adverse.

Toutes les filles des Aigles ont failli m'étouffer en quittant le banc des joueuses et en s'empilant au-dessus de moi. Je vivais pour la première fois de ma vie ce grand rêve : marquer un but au hockey lors d'une vraie partie.

À moi maintenant de trouver le moyen d'en marquer une centaine d'autres, comme Ovechkin et comme mon frère Yann!

# CHAPITRE 11

# Un trio du tonnerre

Après le match, Yann s'approche de sa sœur.

—Lili, pas un mot de la visière et du magasin, hein?

—Yann, qu'est-ce qu'elle a cette visière, elle est magique ou quoi?

—Ne t'inquiète pas de ça! Une chose est certaine, celle-là a été faite juste pour toi!

—Yann, penses-tu que je pourrais me faire fabriquer une minivisière, toute miniature, que je pourrais porter en patinage artistique?

—Ce n'est pas nécessaire, Lili. Je t'ai vue t'exercer hier soir. Tu es vraiment incroyable avec tes figures. Tu m'impressionnes.

—Merci!

—Avec ou sans visière, de toute façon, le talent, tu l'as, en patinage artistique comme au hockey! Peut-être qu'un jour, on pourra jouer ensemble!

—Oui, répond Lili, toi au centre, moi à droite et à gauche il y aura…

—… Alexander Ovechkin, le numéro huit! dit toute la famille en même temps.

# Les lunettes cassées

François Tardif

# LE JOURNAL DE NOÉMIE

*J'ai dix ans et je suis en quatrième année. Je suis assez grande pour mon âge. J'ai les cheveux courts et je porte des vieilles lunettes cassées qui tiennent à l'aide d'un ruban adhésif. Je suis très sportive. Mes meilleurs amis sont des garçons, je veux dire étaient des garçons. Maintenant, je n'ai plus vraiment d'amis.*

*Mon petit secret du jour : je préférais vivre dans mon ancienne ville.*

*Ça fait déjà deux mois que je suis dans cette nouvelle école. Au début, j'ai trouvé ça amusant d'avoir une nouvelle maison et une chambre toute neuve ; mais,* maintenant, je trouve ça moins drôle. Habituellement, je me fais rapidement des amis, mais ici, je ne sais pas pourquoi, je n'y arrive pas vraiment. Heureusement, il y a le sport. Je me suis jointe à plusieurs équipes sportives et j'essaie de me lier d'amitié avec les garçons de l'école. Je suis un peu timide, mais quand je me retrouve avec un bâton de hockey dans les mains ou un ballon entre les pieds, plus rien ne m'arrête. Sur un terrain de soccer, je me sens chez moi.

Depuis deux semaines, j'ai une copine qui s'appelle Nila. C'est ma voisine et elle a mon âge. Elle dit que je suis sa meilleure amie, mais moi je ne suis pas certaine de cette amitié. Pourtant, elle est gentille avec moi. Tout ce que je fais est parfait à ses yeux et ça m'énerve. Je suis loin d'être une fille parfaite. Elle semble n'avoir personne d'autre à qui parler et ça me rend triste. Bon, assez flâné au lit. Je me lève et j'espère que la journée sera superbe. Je me souhaite deux buts, trois sourires et un pâté chinois pour le souper.

# CHAPITRE 1

# Mon amie Nila

Ce matin, en venant me chercher pour aller à l'école, Nila m'a apporté un foulard bleu. Je ne sais pas ce qui lui prend. Depuis trois jours, elle me fait sans cesse des cadeaux. C'est gentil, mais je ne comprends pas trop où elle veut en venir.

Nila est vraiment belle. En plus, elle s'habille très bien. Pourtant, on dirait qu'elle ne le sait pas. Elle est d'origine indienne et elle s'habille souvent avec des robes très colorées. Cependant, depuis quelques jours, tout semble changer. Elle s'habille un peu comme moi. Je me demande bien pourquoi! Moi, je ne perds pas de temps à choisir des vêtements. Un pantalon est un pantalon et un chandail est un chandail, non? Mes parents aimeraient que je prenne un peu plus soin de mes tenues.

—Noémie, dit souvent mon père, j'aimerais que tu arrêtes de mettre mes polos de golf.

—Mais papa, je les adore tes polos, et maman ne veut jamais m'en acheter. Regarde, j'ai mis ton polo rouge; tu ne le mets même plus!

C'est toujours dans ces moments-là que ma mère me dit:

—Si tu veux, demain on va aller magasiner.

—Oui, oui, allez-y. Noémie, achète-toi des robes et des jupes.

Ça, c'est mon père, évidemment! Il voudrait que je m'habille comme ma mère. Eh bien, pas question! Mon père n'arrête pas de dire que ma mère est belle – et là, je suis d'accord avec lui : ma mère est très belle. «Elle est très coquette», comme il dit souvent. Et quand il dit cela, il m'examine toujours de la tête aux pieds, il fait une drôle de grimace. Ma mère, elle, souhaiterait que je m'habille comme mes cousines, les jumelles, Marysa et Maria.

—Tu as vu, Noémie? me dit toujours ma mère. On dirait des princesses.

Ma mère adore les princesses. Elle aimerait que j'en sois une, comme mes cousines. Mais je ne suis pas une princesse!

Moi, je m'habille avec les vêtements de mon grand frère Antoine ou ceux de mon père. Mon frère a des dizaines de survêtements de sport, des t-shirts de toutes les couleurs, des souliers pour le tennis, le football, le soccer, la course à pied, la montagne, le vélo. Comme il grandit vite, il me donne tous ses vêtements qui sont presque neufs. J'aime porter ses vêtements. Je me sens comme sur un terrain de sport et ça me plaît!

Mon objectif: faire partie des meilleures équipes masculines dans tous les sports. Je préfère jouer avec des garçons parce que, souvent, les équipes sont plus fortes. Moi, je suis aussi bonne et même meilleure que les garçons de mon âge!

Donc, ce matin, Nila est encore habillée comme moi!

Elle qui ne fait même pas la différence entre un ballon de football et un volant de badminton !

Ma mère l'adore évidemment. Pour une fois que j'ai une amie fille !

Je la trouve spéciale et différente, mais je me demande si c'est une amie pour moi. Alors en attendant, je la laisse me parler de ce qu'elle aime : les tissus et la mode.

Leka, la mère de Nila, est couturière.

Dans leur maison, je me sens très bien. Ils ont une maison identique à la mienne à l'extérieur. Pourtant, aussitôt que l'on y pénètre, tout est différent. Comment ont-ils fait pour changer une maison ordinaire en palais ? Il y a des dorures partout et des tissus chatoyants de toutes les couleurs sur les fauteuils et aux fenêtres.

Dans cette famille indienne, il y a Leka – qui a l'air d'une reine avec ses robes extraordinaires –, il y Raja, le père, toujours chic, et il y a Manisha, la grande sœur de Nila. Elle a 17 ans et elle travaille dans une boutique de vêtements pour dames. Elle est toute petite et porte des talons si hauts que je l'appelle « l'acrobate ». Leur tante Parnita vit aussi avec eux. Je crois qu'elle collectionne les parfums, car elle est toujours en train de nous faire sentir quelque chose de nouveau.

Chez Nila, tout le monde discute de mode et de tissus. Parfois, sa mère me dit :

— Noémie, tu veux essayer ça ?

— Qu'est-ce que c'est ?

— C'est une robe que j'ai faite spécialement pour toi, me dit Leka avec un sourire.

La mère de mon amie a l'air si heureuse de me proposer ces vêtements que je n'ose pas me sauver. Pourtant, je préfèrerais être en plein milieu d'une partie de soccer, même sous la pluie !

J'enfile alors une longue robe multicolore.

— C'est comme un sari, me précise Leka.

Nila m'a expliqué qu'un sari est un vêtement traditionnel porté par des millions de femmes indiennes.

— Les petites filles en Inde, continue Leka, ne portent pas de sari. Elles s'habillent généralement d'une tunique

fendue sur le coté, d'un pantalon bouf-
fant et d'une écharpe.

À ma grande surprise, quand je me
regarde dans le miroir, je me trouve
assez belle. Un jour, ils ont même ral-
longé mes cheveux. J'ai eu de la diffi-
culté à me reconnaître dans le miroir.
Nila m'avait fait une ligne noire sous les
yeux et, pendant deux ou trois heures,
Leka nous a fait essayer des dizaines de
robes, de saris et de tissus drapés qui
m'ont complètement envoûtée. Je me
sentais si bien que j'avais l'impression
que je venais de gagner la coupe Stanley
dans l'uniforme des Canadiens de
Montréal. Pourtant, durant toute la
soirée, pas une fois on n'a parlé de
sport.

À l'école, le lendemain matin, Nila
n'arrêtait pas de montrer les photos de

cette séance d'essayage. Personne ne croyait vraiment que c'était moi cette déesse !

# CHAPITRE 2

# La bande à Juliette

À la récréation, toutes les filles, sauf moi, se rassemblent souvent autour de Juliette, une belle blonde aux yeux bleus. Juliette est « Miss populaire ». Elle s'habille et se maquille comme un mannequin. Elle arrive toujours à l'école avec des cheveux coiffés de différentes façons (tresses françaises, queues de cheval, mèches brunes, cheveux frisées, rallonges rasta, barrettes de toutes sortes, etc.). Pour ma part, je n'aurais rien remarqué de tout cela, mais Nila n'arrête pas de me dire :

—Regarde, Noémie, tu as vu ses bas ? Noémie, là, ce ne sont pas ses vrais cheveux. Noémie, incroyable, ces deux filles portent la même robe. Elles doivent vraiment être gênées.

—Pourquoi ? L'an dernier dans mon équipe de hockey, on devait tous porter le même manteau et le même chandail quand on était ensemble !

—Ça ne se passera jamais comme ça pour les filles qui sont dans le groupe de Juliette.

—Juliette, c'est qui déjà ?

—C'est la fille là-bas. Tu sais…

J'oublie souvent l'existence de Juliette parce que je n'ai pas de lien avec elle. On n'est pas du même monde. Mais depuis

que Nila m'a choisie comme sa meilleure amie, je sais tout de ce qui se passe autour d'elle.

—Regarde, Noémie, c'est Juliette. Aujourd'hui, c'est la seule de son groupe habillée en vert. Tu sais, elles s'appellent la veille au soir pour se dire ce qu'elles vont porter le lendemain.

Juliette ne s'habille jamais deux fois de la même manière. Juliette est la plus belle et elle le sait. Toutes les filles de la classe, et des autres classes aussi, veulent faire partie de son groupe. Sauf moi.

Nila est souvent déchirée entre deux mondes. D'un côté, elle est naturellement impressionnée par Juliette et mon groupe de filles. De l'autre, elle me suit comme mon ombre et elle devient souvent ma mascotte. Elle m'apporte de l'eau ou elle m'essuie le front entre deux buts au soccer. Je suis la seule fille de mon équipe, mais le meilleur compteur. Nila n'a pas raté une seule de mes parties. Ça m'énerve un peu, parce qu'elle ne connaît même pas les règlements.

Ce matin, par contre, Nila ne s'occupe pas beaucoup de moi. Sans arrêt, je la vois lorgner vers Juliette qui parade auprès de ses amies. Je ne peux m'empêcher de suivre Nila du regard. Je vois bien qu'elle est avec moi, mais qu'elle voudrait être ailleurs.

—Nila, lui dis-je en saisissant la bouteille d'eau qu'elle me tend distraitement, qu'est-ce que tu as aujourd'hui ?

—Rien !

—Nila, je vois bien que tu regardes toujours Juliette et son groupe. Vas-y, vas avec elle!

—Mais je ne peux pas. Tu as besoin de moi!

Nila pense que parce qu'elle m'a choisie comme meilleure amie, elle doit me suivre coûte que coûte.

—Nila, tu n'es pas obligée de rester à côté de moi!

—Mais j'aime rester à côté de toi!

—Tu peux aller voir les filles et tu reviendras ensuite!

—Non, non, ça va! Bon!

C'est en me donnant une bonne tape dans le dos que Nila me pousse à rejoindre les garçons au centre du terrain de soccer. Le ballon est prêt à être remis en jeu. Jean-Charles est le capitaine de mon équipe. Il a créé la ligue de l'école.

—Noémie, tu joues ou tu ne joues pas? me demande-t-il.

—Qu'est-ce que tu veux dire?

—On dirait que tu n'es pas là aujourd'hui. Au lieu de nous aider, tu les laisses marquer sans rien faire.

—Ils ont compté?

—Oui, justement, pendant que tu parlais à la fille qui t'apporte l'eau.

—Nila?

—La fille, là, ton amie! Tu vas avec elle et avec les autres filles ou tu nous aides à gagner la finale?

—La finale?

—Mais oui, tu t'en souviens? C'est aujourd'hui la grande finale du tournoi de l'école! Et à cause de toi, ils viennent d'égaliser! Alors réveille-toi!

Je n'écoute pas vraiment Jean-Charles. Je regarde plutôt Nila sur les lignes de côté, qui fait semblant d'encourager mon équipe, mais qui regarde sans arrêt du côté de Juliette. Je trouve dommage que Nila n'aille pas rejoindre ces filles. Elle a tellement plus en commun avec elles qu'avec moi et mon monde de garçons. Jean-Charles, lui, commence à s'impatienter.

—Hou, hou! Noémie, tu es notre meilleur compteur. Tu te réveilles ou on perd la finale?

—Oui, oui! dis-je.

Jean-Charles met le ballon devant moi et me donne une bonne tape dans le dos.

— Alors vas-y, ma Noémie, marque le but gagnant !

Sans l'avoir vraiment écouté, je fais un signe d'approbation à toute l'équipe. Je regarde Nila qui s'assoit par terre, Elle regarde toujours en direction de Juliette et de son groupe de filles. J'ai l'impression qu'elle va se mettre à pleurer. Mais pourquoi n'arrête-t-elle pas de me suivre ? Elle devrait aller jouer avec ces filles, ce devrait être elles, ses amies ! Sans m'en rendre compte, je prends le ballon de soccer et je le remets directement à Martin, le capitaine de l'équipe adverse. Mes coéquipiers me regardent avec colère :

—NOÉMIE ? NOÉMIE ? OÙ VAS-TU ? crie Jean-Charles.

Sans répondre et sans tenter de récupérer le ballon des pieds de l'adversaire, je me dirige vers Nila. Au moment où Martin se dirige vers notre but, je prends Nila par la main et je la mène jusqu'au groupe de Juliette.

—Noémie, qu'est-ce que tu fais ? Tu vas faire perdre ton équipe. Ils viennent de marquer un but à cause de toi !

—Nila, tu n'arrêtes pas de regarder Juliette. Ça fait des jours que je te vois faire. Tu m'as même prise en photo pour pouvoir t'approcher d'elle. Vas-y, Nila, arrête de me coller. De toute façon, tu m'énerves.

—Je t'énerve ?

—Eh bien, oui! Un peu, mais ce n'est pas de ta faute. Tu es vraiment gentille! Moi, je veux faire du sport et toi, tu veux changer de robe toutes les dix minutes. Nila, écoute-moi! Il faut toujours rester soi-même.

# CHAPITRE 3

# Le club de beauté

J'entraîne Nila jusqu'au groupe de filles. Elle se laisse faire. Tout le monde saute et cherche à attirer l'attention de Juliette qui, elle, semble s'amuser de tout cela. Il y a même des petites de première année qui essayent de s'approcher d'elle.

—Qu'est-ce qui se passe ici ?

—On veut s'inscrire ! me dit la petite Lucie en tirant sur sa robe à pois.

—T'inscrire à quoi ?

—Au club!

—Un club? Quel club?

—Le club de Juliette! continue Lucie. Elle fait un club de beauté!

—Quoi? Un club de beauté? Qu'est-ce que c'est que ça? Tu le savais, Nila?

—Oui, mais je sais que tu fais déjà partie d'un club de soccer, alors je me suis dit que ça ne t'intéresserait sûrement pas.

—Là, tu as bien raison! Ça ne m'intéresse vraiment pas!

—Viens, on s'en va! me dit Nila en m'entraînant plus loin.

—Non, non, non, Nila, c'est de toi qu'il est question, pas de moi!

—Je ne ferai partie du groupe que si, toi, tu en fais partie!

—Quoi ?

—Tu es mon amie, non ?

—Mais qu'est-ce que ça change ?

À ce moment-là, Juliette grimpe sur une petite butte de terre située au fond de la cour d'école et prend la parole.

—Les filles, je suis très contente que vous soyez toutes intéressées par mon club de beauté. J'aurais vraiment voulu toutes vous accepter dans le club, mais ce n'était pas possible. Voici celles qui ont passé les tests !

—Quoi, Nila ? Il y avait des tests pour faire partie de son club de beauté ?

—Oui, et il faut être très belle !

—Ah ! Je comprends alors pourquoi hier tu as voulu que ta mère me déguise !

Sur la butte, Juliette continue de parler.

—Je veux donc vous présenter les membres de mon club. Nous sommes maintenant sept. Il y a moi, Juliette, la présidente. (Toutes les filles l'applaudissent.) Il y a aussi Marianne, Lisa, Élisabeth, Renata, Marguerite et Sandrine. Nous ferons quelques spectacles de danse et de mode dès la semaine prochaine. Vous pourrez donc nous admirer plusieurs fois cette année.

—Nous, est-ce qu'on peut faire partie du groupe ? demande Lucie toute souriante.

Juliette éclate de rire et regarde la petite avec mépris.

—Mais non voyons ! Venez, les filles, on commence notre réunion, dit Juliette en entraînant les membres de son club un peu plus loin.

Les autres filles sont déçues de ne pas faire partie du club de Juliette. Nila, elle, continue à regarder par terre. La petite Lucie lance soudain une idée :

— On va faire un spectacle, nous aussi. On va créer notre propre club de beauté.

Toutes les filles sont d'accord. Même Nila semble heureuse et essaie de se joindre au groupe. Pour ma part, je trouve tout cela vraiment ridicule et commence enfin à penser à ma partie de soccer.

— Nila, je vais retourner à ma finale !

— Je viens avec toi, me répond Nila.

—Non, non, non, reste ici. Je reviens te voir après le match !

—Je te suis partout où tu vas ! Tu es mon amie, ma meilleure amie !

À ce moment-là, Marguerite, du groupe de Juliette vient annoncer la bonne nouvelle :

—Les filles, écoutez-moi. Juliette vient de décider que si vous le voulez, vous pourrez peut-être faire partie du club de beauté un jour. D'ici là, vous allez faire partie de son mini-club. Tout à l'heure, à la fin de la récréation de l'après-midi, vous passerez une audition. Si elle vous accepte, vous ferez partie du mini-club.

Toutes les filles se mettent aussitôt à applaudir et à trépigner de joie. Nila semble heureuse aussi et ça me plaît. À ce moment-là, Jean-Charles et Luc se

pointent à côté de moi, rejoints rapidement par le reste de l'équipe. Ils me
regardent tous avec colère. *OUPS!*

—Noémie, on est maintenant à
3 contre 1! Tu es contente?

—Il ne reste plus que dix minutes à la
récréation du midi. On a joué tout
l'automne pour se rendre en finale et à
cause de toi on va perdre!

—Je...

C'est Nila qui me sauve de la
situation.

—Noémie, viens, suis-moi!

Elle m'entraîne de force jusqu'au terrain de soccer, où la partie reprend de
plus belle.

—Mais Nila, tu ne veux pas faire
partie du club de beauté de Juliette?

—Oui… non… je ne sais pas! On verra ça plus tard. Seulement si tu en fais partie toi aussi. Mais pour l'instant, il faut que tu aides ton équipe. Sans toi, nous n'en serions pas là. C'est toi la vedette.

CHAPITRE 4

# Une partie enlevante

Nila a raison. Je ne connais rien aux clubs de beauté. Par contre, je m'y connais très bien en soccer. Je sais aussi reconnaître quand une équipe est désorganisée. Et là, mon équipe se fait totalement dominer. J'ai beau avoir beaucoup de talent, j'ai beau essayer de contrôler le ballon, j'ai beau essayer de parler à mes coéquipiers de la stratégie à adopter, rien n'y fait. Toute l'équipe a le moral dans les talons. Plus rien ne fonctionne pour nous. Il reste dix minutes avant la cloche. Le pointage est de 3 à 1 pour l'équipe adverse. En plus, ils viennent de frapper deux fois le poteau des buts en moins de trente secondes. Nous étions des figurants alors que durant toute la saison d'automne nous avons été les meilleurs des quatre équipes.

J'ai même terminé la saison en tête des marqueurs. Dix matchs de saison, une demi-finale et maintenant la finale et j'ai réussi 19 buts. La seule fille de toute la ligue. Pas mal, non ?

Maintenant, il me faut appliquer tout ce que je sais pour sortir mon équipe de ce désastre.

—O.K., les gars, on arrête de me bouder et on joue le meilleur soccer de notre vie !

Un de mes entraîneurs m'a dit qu'au soccer, un seul joueur, même s'il est le meilleur, ne peut pas tout faire tout seul. Il a absolument besoin de l'aide de tous ses coéquipiers. Je mets à profit ce conseil et élabore un plan extraordinaire.

—O.K., les gars… voici mon plan. Nous allons…

Aussitôt que je finis l'explication, je récupère le ballon le plus tôt possible et je fais une passe ou deux à chacun de mes coéquipiers. Et ce, même si ça va dans les directions les plus bizarres. Je me mets donc en « deuxième vitesse », je déjoue tous les joueurs de l'équipe adverse, une fois, deux fois, et même trois fois chacun. À chacun de mes exploits, je fais des passes à un de mes coéquipiers. Ensuite, je lui demande de me redonner le ballon.

—Jean-Charles, attrape la passe!

—Je l'ai, Noémie.

—Redonne-moi le ballon, Jean-Charles.

—O.K.… mais pourquoi? On ne va pas vers le filet adverse! On ne peut pas marquer des buts au centre du terrain.

—Tiens, Luc, prends le ballon… repasse-le-moi!

Toute mon équipe me regarde aller et venir. Ils prennent part tout doucement à mon jeu sans trop comprendre ce que je fais réellement. Pourtant, c'est très simple, mais cela donne sûrement une drôle d'impression puisque de plus en plus de spectateurs se mettent à nous observer.

Quand tous mes coéquipiers sont bien réveillés, je me décide à jouer le grand coup. Je pars avec le ballon. Telle une fusée, je déjoue trois joueurs adverses et je me retrouve seule devant le gardien de l'autre équipe. Chez les spectateurs, on commence à trouver cela très excitant. Tous pensent que je vais marquer mon vingtième but et réduire le pointage de 3 à 2. Mais j'ai un autre plan. Je veux utiliser toutes les forces de mon équipe et non pas tout faire moi-même. Alors, à leur grande surprise, comme je m'apprête à tirer, je fais semblant de m'être blessée à la cheville. Je m'écroule par terre et me tords de douleur.

Aussitôt, on arrête le jeu. Mes coéquipiers se rassemblent autour de moi et je leur dis :

—Allez-y, allez-y sans moi, je vais m'arranger. Vous êtes capables… sans moi !

Je vois dans leurs yeux que l'espoir est revenu. Nila vient me donner de l'eau. Elle m'entoure la cheville d'un de ses foulards. Je suis décidée à laisser entrer tous mes coéquipiers dans le jeu avant de me relever. Je prends bien mon temps avant de me remettre debout. Il ne reste plus que quatre minutes à jouer et le pointage est toujours 3 à 1 pour l'autre équipe. Ils savourent déjà leur victoire, maintenant que je suis par terre. Mais en moins d'une minute, mes coéquipiers font circuler le ballon entre eux, et Jean-Charles marque son premier but de l'année. J'en oublie ma mise en scène et je me lève pour courir vers eux.

—HOURRA ! SUPER ! RÉUSSI !
HOURRA !

Ma course a un effet extraordinaire sur mon équipe et fait tomber le moral de l'équipe adverse.

Aussitôt que le ballon est remis en jeu, nous travaillons de façon magnifique et, en deux minutes, nous marquons deux autres buts pour nous assurer une grande victoire. Mais ma plus grande victoire est de voir la petite Lucie demander à Nila de faire partie de son groupe.

## JOURNAL DE NOÉMIE

*Mon petit secret du jour : je suis meilleure que les garçons !*

*Depuis que je suis petite, je me sens comme un garçon. Mon frère est un champion dans tous les sports. Alors, toute petite, j'ai essayé de l'imiter. J'ai si bien réussi que je suis meilleure que lui dans la plupart des sports. Dans mon autre ville, j'étais une star ! J'aimerais devenir une championne olympique comme Maryse Turcotte, l'haltérophile qui est allée aux Jeux olympiques d'Athènes, ou Sylvie Fréchette en nage synchronisée. J'admire aussi beaucoup Harley Wickenheiser, la meilleure* joueuse de hockey du Canada. Un jour, j'ai réussi à avoir l'autographe de Justine Henin avant qu'elle abandonne la pratique du tennis professionnel, et que dire de Mélanie Turgeon en ski et Marie-Hélène Prémont en vélo de montagne? La liste de mes idoles est longue.

Depuis que ma famille a déménagé, je dois tout recommencer à zéro. Ici, personne ne connaît mon passé et personne ne sait que je suis si bonne dans les sports. Mais enfin, après cette partie de soccer, je suis parvenue à me faire une place. Et ma place, c'est avec les garçons!

# CHAPITRE 5

# Membre à vie
# d'un club

Le lendemain matin de notre partie, je suis très surprise, en sortant de chez moi, de ne pas voir Nila m'attendre à la porte. Dommage, j'aurais voulu lui rendre son foulard coloré.

—Enfin, me dis-je, Nila s'est trouvé de nouveaux amis et elle va cesser de me tourner autour. Je l'aime bien, mais nous sommes si différentes.

Sur la route de l'école, Jean-Charles et Luc m'attendent.

—Bravo, Noémie! me dit Jean-Charles en me tendant la main.

—Ta cheville va mieux? me demande Luc en remarquant que je ne porte plus le foulard de Nila.

—Oh, oui! Tout va bien maintenant. Je ne boite presque plus! dis-je en me forçant à boiter un peu.

Ce matin-là, je sens que quelque chose vient enfin de changer. Les garçons, beaucoup de garçons, m'acceptent enfin dans leur groupe. En gagnant la grande finale avec mon équipe et en étant vraiment acceptée par Jean-Charles et Luc, je ne suis plus juste une fille, mais je suis une fille qui joue comme un garçon!

—Les gars, dit Jean-Charles en se tournant vers Luc et moi, qu'est-ce que vous faites samedi?

—Jean-Charles, dit Luc en riant, tu nous as appelés les gars!

—Oups, excuse-moi, Luc, j'aurais dû dire les filles, hein? dit Jean-Charles en donnant un petit coup de poing à l'épaule de Luc.

En arrivant à l'école, tous les garçons des équipes de soccer nous félicitent et, pour la première fois, je me sens acceptée.

Monsieur Martel, le directeur de l'école, vient vers nous.

—Bonjour, tout le monde!

—Bonjour, monsieur Martel!

Monsieur Martel est le responsable de la discipline à l'école. Très souvent, je l'ai vu donner des retenues aux garçons de mon équipe de soccer, surtout à Jean-Charles et à Luc, qui se bousculent sans arrêt. Il s'approche de notre capitaine :

—Monsieur Lamontagne, félicitations ! J'ai appris que la Ligue de soccer a respecté les règles jusqu'au bout. Et je suis fier de vous ! J'avoue qu'au début, j'ai eu peur que ces parties ne créent des disputes dans la cour. Je pense que je me suis trompé et que vous méritez des honneurs. L'école a décidé de vous féliciter officiellement et de remettre aux gagnants des médailles. Ce matin, toute l'école se réunira pour souligner votre exploit. Bravo, les gars !

Soudain, monsieur Martel se tourne vers moi.

—Vous êtes mademoiselle Noémie Lacroix?

—Oui!

—Franchement, bravo! On m'a dit que vous étiez une grande joueuse de soccer!

—Merci.

—À tout à l'heure, les gars! dit monsieur Martel en s'éloignant.

Puis il s'arrête, se retourne vers moi et conclut en disant:

—À tout à l'heure aussi, mademoiselle, bien entendu!

Fantastique! La journée s'annonce vraiment très bien.

Jean-Charles réunit toute l'équipe de soccer pour lui annoncer la nouvelle. Les garçons me donnent des tapes dans le dos. Moi, je me sens tellement fière. L'heure est donc à la bonne humeur.

En entrant dans l'école, je vois du coin de l'œil quelque chose qui, tout d'abord, me fait rire : je croise deux filles qui portent à la cheville droite un bout de tissu jaune et vert ! Je ne connais pas ces filles, mais c'est curieux parce qu'elles sont habillées comme moi la veille. La même cheville, les mêmes couleurs.

Je trouve donc cela très amusant jusqu'à ce que je me rende compte qu'au moins dix filles sont accoutrées de la même façon.

— Noémie, je suis tellement contente de te voir !

Nila s'approche de moi et me tire le bras pour me parler loin des gars du club de soccer.

—Tu as vu ? C'est vraiment extraordinaire, toutes les filles portent un ban-
dage à la cheville !

Cette situation l'amuse.

—C'est bizarre. Pourquoi ? Se sont-
elles toutes blessées ?

—Non ! C'est la petite Lucie qui a eu
cette idée. Elle a décidé de fonder son
propre club de beauté comme tu sais. Et
elle m'a demandé d'en faire partie ! Je
serai la vice-présidente !

—Bravo, mille fois bravo, Nila ! Je suis
vraiment contente pour toi.

Assurément, la journée est superbe !
Nila, comme moi, vient de trouver sa
véritable place.

—Noémie, reprend Nila, juste au
moment où la cloche sonne le début des
cours, les filles te réservent une surprise !

—Une surprise? Quelle surprise?

Nila n'a pas le temps de me répondre qu'elle est entraînée vers sa classe par toutes les filles de son club de beauté. Je vois derrière elle Juliette et son groupe qui nous observent. Elles ont les bras croisés et ne semblent pas du tout contentes. Elles regardent les nouvelles amies de Nila et pointent du doigt le bout de tissu jaune et vert attaché à leur cheville.

—Oh, oh! J'ai l'impression qu'une petite guerre se dessine entre les deux clubs de beauté!

Mais je me sens en dehors de cette chicane de filles. Pour ma part, je cours rejoindre rapidement Jean-Charles et Luc, dans notre classe, pour attendre avec eux le moment où le directeur réunira toute l'école pour célébrer notre victoire au soccer. Juliette se précipite vers moi et m'adresse la parole pour la première fois de sa vie.

—Si tu insistes, dit-elle sans même me dire bonjour, je te nomme vice-présidente de mon club de beauté !

Juliette m'attrape par le bras.

—Hein ? C'est à moi que tu parles ? Excuse-moi, mais je crois que tu te trompes de fille.

—Tu es bien Noémie, la nouvelle ?

—Oui, mais je ne peux pas te parler, la classe commence dans une minute. J'ai horreur d'être en retard.

Et je ne veux surtout pas attirer l'attention de monsieur Martel en étant en retard, maintenant qu'il m'a reconnue comme grande sportive.

—Il y a une réunion de notre groupe ce midi ! On t'y attends !

—Non, non, non, Juliette, je n'y serai pas.

—Pourquoi ?

Je ne sais pas trop quoi répondre.

—Oh ! Je sais pourquoi, dit soudainement très fort Juliette, devant mes amis Jean-Charles et Luc, parce que tu fais partie du groupe de cette petite Lucie, c'est ça ?

—Quoi ?

—Oui, ce sont elles qui m'ont dit ça. Elles disent que c'est même toi qui as inventé leur code vestimentaire en leur proposant de porter un bandeau vert et jaune à la cheville. Pourtant, tu es la seule à ne pas porter de tissu à la cheville droite.

Jean-Charles et Luc me regardent d'une drôle de façon et cela ne me plaît pas vraiment.

Je libère mon bras droit, ne réponds rien à Juliette et me dirige vers ma classe. Juliette court au-devant de moi, me bloque l'entrée de la classe et dit très fortement afin que tout le monde l'entende :

—Je te nomme officiellement vice-présidente de mon club de beauté. Je suis contente que tu aies choisi mon club au lieu de celui de cette Lucie. Rendez-vous comme prévu à midi dans la cour d'école.

Juliette a réussi à attirer l'attention de tout le monde en parlant aussi fort. Deux filles de ma classe, qui portent un tissu jaune et vert à la cheville droite, me regardent avec mépris. Avant même que je ne dise quoi que ce soit, Juliette s'éloigne. Mes coéquipiers de soccer ne savent pas trop quoi dire. C'est alors que madame Larrivée entre précipitamment dans la classe et demande tout de suite notre attention. Je ne peux donc pas répliquer.

—Bonjour à tous, nous dit-elle, nous ne ferons pas tout de suite la présentation qui était prévue. Nous allons nous diriger de ce pas vers la salle de spectacle où nous assisterons à une cérémonie surprise.

Dans le corridor, je vois des filles qui portent le foulard à la cheville se parler et me pointer du doigt.

—Pourquoi m'as-tu fait ça? dit soudainement Nila en se précipitant vers moi.

—Pourquoi ? Qu'ai-je fait ?

—Je te croyais mon amie !

Nila a les larmes aux yeux.

—Nila, je n'ai rien fait !

—Noémie, tu n'as pas le choix : ou tu fais partie de mon groupe de filles ou tu fais partie de celui de Juliette !

—Chut ! chut ! dans le corridor ! nous dit alors monsieur Martel au moment où nous entrons dans la salle.

Pendant le préambule de monsieur Martel, je ne peux m'empêcher de regarder à gauche et à droite pour observer les deux groupes de filles qui se regardent avec fureur. Je me sens consternée par cette drôle d'aventure, alors que tout ce qui m'intéresse, c'est de faire partie du groupe des sportifs.

— Nous sommes très fiers de changer nos habitudes, commence monsieur Martel en parlant dans le microphone. Ce matin, nous avons décidé d'interrompre vos cours, pour dix petites minutes, afin de souligner devant tout le monde l'exploit d'un petit groupe de garçons et… d'une fille, mademoiselle Noémie Lacroix. J'aimerais d'ailleurs qu'on applaudisse tous cette fille qui est la seule à participer à cette activité. Où êtes-vous mademoiselle Lacroix ?

Poussée par Jean-Charles et Luc, je me lève et je reçois les applaudissements des élèves de l'école. Seules les filles des groupes de Lucie et de Juliette restent de marbre en ne décroisant pas leurs bras. J'essaie de garder le sourire, mais je cherche plutôt Nila du regard.

—Vous pouvez vous rasseoir mademoiselle Lacroix, dit monsieur Martel
quand les applaudissements cessent.

Je n'écoute plus et je continue de chercher Nila des yeux.

—Mademoiselle Lacroix, s'il vous
plaît, essaye encore monsieur Martel,
voulez-vous vous asseoir, nous allons
commencer la cérémonie.

Mais je ne l'écoute toujours pas. Je
tourne en rond, en me demandant où
elle peut bien se cacher. Soudain je la
vois, bien assise au fond de la salle, derrière le groupe de Lucie. Elle pleure.
Alors, sans hésiter, je dis très fort :

—Nila, tu es ma meilleure amie !

Nila se lève. Mal à l'aise, elle fait tout
pour cacher ses larmes. Elle me regarde.
Je prends son foulard dans ma poche,

et, pour lui prouver mon amitié, je le mets autour de ma cheville droite. Tout le groupe de Lucie se met debout et commence à applaudir. Monsieur Martel reprend la situation en main.

—On vient tout juste de m'informer que cette jeune fille est celle qui a soigné la cheville de mademoiselle Lacroix. Ce qui a permis à son équipe de gagner le tournoi! Très belle action mademoiselle… Nila, Nila Madhani, c'est ça?

* * *

À la fin de la cérémonie, Nila vient me rejoindre et me félicite pour notre victoire et pour cette reconnaissance. Elle a la gentillesse de comprendre ma situation.

— Noémie, je sais bien que tu ne veux pas faire partie de notre club de beauté. Mais je suis très contente que tu aies remis cette Juliette à sa place.

— Merci, Nila, de me comprendre. Tu es vraiment ma meilleure amie. Même si je ne pense pas aller à vos réunions, je vais tout de même porter le foulard à la cheville, pour te soutenir.

La petite Lucie s'approche de nous et m'explique que peu importe ma décision, les filles de son groupe vont me nommer à vie à la vice-présidence d'honneur de leur club.

Et c'est ainsi que tout doucement, je me mets à m'intéresser à ce que Nila et ses amies font vraiment dans ce club de beauté.

## JOURNAL DE NOÉMIE

*Mon petit secret du jour : les filles sont vraiment super !*

*J'ai appris que les choses peuvent rapidement changer dans une relation. Nila et Juliette ont décidé, comme ça, du jour au lendemain, d'arrêter de se chicaner et de devenir des associées. Oh ! mais cela ne s'est pas fait simplement ! Une petite guerre a éclaté entre les deux groupes. Une journée, le groupe de Juliette a décidé de porter lui aussi un foulard à la cheville droite, puis, pour protester, celui de Nila en a porté un à la cheville gauche. Tout cela a mené à un grand affrontement ; ils ont appelé cela la guerre des foulards. Au bout d'une heure de cris et de chansons vantant les mérites d'un groupe face à l'autre, la petite Lucie a remarqué que toutes les filles chantaient et bougeaient très bien en manifestant. Juliette et Nila ont soudainement vu là une possibilité de monter un spectacle de danse, basé sur cet affrontement, et la guerre s'est arrêtée ! Les deux groupes en ont formé un seul, et plus personne ne porte de foulard à la cheville. D'ailleurs, plus personne ne parle de moi comme vice-présidente à vie de leur club. Mais elles m'acceptent tout naturellement comme la seule observatrice extérieure au groupe. Juliette, Lucie et Nila organisent un défilé de mode et un spectacle de danse exceptionnels. Chose étonnante, elles me demandent parfois mon avis !*

# CHAPITRE 6

# Une nouvelle vie

Pendant une semaine, je ne vois presque pas Nila, Lucie, Juliette et leur groupe. C'est à croire qu'elles se sont volatilisées dans la nature. Nila me salue discrètement quand je la rencontre, mais elle ne me parle de rien.

Puis, jeudi matin, je vois Juliette et Nila en grande discussion avec mon professeur. Jean-Charles m'explique qu'elles organisent un spectacle de mode et de danse, et que c'est lui et trois de ses amis qui s'occuperont de la musique. Il

me demande même si je connais quelqu'un qui joue de la guitare ou qui sait chanter.

—Le spectacle aura lieu dans une semaine et les billets coûtent deux dollars, m'annonce-t-il.

Ce soir-là, après l'école, je me rends chez Nila pour lui rendre son foulard. Sa mère m'accueille gentiment et m'invite à aller rejoindre le groupe de filles au sous-sol.

—Quoi ? Elles répètent leur spectacle ?

—Oui, c'est ça !

—Oh ! Je reviendrai alors ! Je ne veux pas les déranger !

—Non, non, non, tu ne nous déranges pas, dit Nila qui arrive derrière sa mère.

Si tu veux, tu peux même venir nous voir répéter.

La répétition du spectacle m'impressionne. Les filles dansent très bien. Je trouve même leur spectacle très sportif et ça me donne envie d'être sur une scène. J'aime moins le côté parade de mode, mais ça, c'est mon opinion !

À deux reprises, Leka, la mère de Nila, me demande pourquoi je ne fais pas partie du même club que sa fille.

—Oh ! je n'ai vraiment pas le temps. Je me suis embarquée dans la ligue de hockey de l'école. De toute façon, il faut vraiment être très belle pour faire partie de ce club, non ?

— Mais tu es belle !

—Non, non, madame Leka, je suis sportive, je suis rapide, je suis

l'amie de Nila, mais je ne suis pas belle…
comme… ces filles du club de beauté !

Elle me sourit et ajoute :

— Depuis quand le sport empêche-t-il
d'être belle ?

Leka sort alors la photo où je suis
habillée en Indienne.

— Regarde comme tu es jolie, Noémie.

— Bof !

Mais cela me fait réfléchir. Je réfléchis,
réfléchis et réfléchis toute… la nuit !

* * *

Ce matin, avant le début des cours, je
décide donc de porter le grand coup. Je
demande une réunion avec Nila, Lucie
et Juliette.

—Les filles, je me suis décidée, je veux faire partie de votre club de beauté!

—Ah, oui? bravo! me dit aussitôt Nila.

—Tu vas laisser tomber le sport et tes amis? demande spontanément Lucie.

—Il n'en est pas question! dit Juliette.

—Pourquoi? dis-je en même temps que Nila.

—Parce que... tu... portes des lunettes..., répond Juliette avant de se diriger vers sa classe.

Je suis déçue. Je demande à Nila ce qu'elle en pense:

—Qu'est-ce que ça veut dire, Nila? Comme je porte des lunettes, je ne suis pas assez jolie pour être dans votre club?

Nila secoue la tête.

— Au contraire, tu dois être trop belle et tu dois fais peur à Juliette !

Pourtant, toute la journée, la question me trotte dans la tête : belle ou pas belle ? C'est la première fois que je pense à cela.

# LE JOURNAL DE NOÉMIE

*Mon petit secret du jour : j'ai passé la soirée à me regarder dans le miroir.*

*Est-ce qu'il y a vraiment des gens beaux et d'autres laids ? Est-ce qu'il y a des chiens beaux et d'autres affreux ? Un jour, j'ai trouvé un bouledogue si laid que j'en ai eu des frissons dans le dos. Pourtant, une petite fille de deux ans à peine n'arrêtait pas de le caresser et de l'embrasser sur ses grosses bajoues. Elle avait l'air de le trouver tellement beau. Un gorille, est-ce que c'est beau ? Une girafe ? Un grand-papa ? Un très, très vieux grand-papa ? Un serpent, un bébé, une araignée, une pomme, est-ce que* c'est beau ? Je ne sais pas, mais ce que je sais, c'est que, moi, parfois je me trouve belle et d'autres fois je me trouve moins belle !

# CHAPITRE 7

# La beauté

Pendant la fin de semaine, j'observe mes parents. Est-ce que je les trouve beaux ? Mon père n'arrête pas de dire que ma mère est belle. Mais elle ne dit jamais qu'il est beau. Les filles seraient belles et les garçons… on n'en parle pas ? Mais la beauté, qui décide qu'on l'a ou qu'on ne l'a pas ? Sans doute Juliette !

Ma grand-mère me dit toujours que je suis la plus belle de la famille. Ma tante Ginette et mon oncle André aussi. Ils me disent toujours que je suis belle.

Pourtant, depuis que Juliette m'a dit cela, je n'y crois plus vraiment. Toute la fin de semaine, Nila vient me voir pour me remonter le moral. Elle m'explique d'ailleurs ce que voulait dire Juliette :

— Ce n'est pas qu'elle ne te trouve pas belle. C'est que pour elle, aucun mannequin de mode, aucune danseuse ne porte de lunettes.

Le club de beauté a des règlements précis et les lunettes ne sont pas acceptées. Voilà tout ! Mais moi, j'en porte depuis que je suis toute petite. En plus, je les aime mes lunettes. Il ne me reste donc qu'à oublier de faire partie de ce club de beauté.

— Elle va peut-être changer d'idée, me dit Nila. Il faut qu'elle change d'idée, car on doit être d'accord toutes les trois si on veut accepter un nouveau membre dans le club.

—Ne t'en fais pas, Nila. Je disais ça comme ça! Je ne veux pas vraiment faire partie de votre club de beauté. Je trouve ça même un peu ridicule, un club de beauté. Et puis j'adore mes lunettes. Mais le fait que vous fassiez des spectacles de danse, ça m'intéresse beaucoup.

* * *

Je décide donc de faire une expérience.

Lundi matin, je pars pour l'école sans mes lunettes. Bon, je ne vois pas grand-chose, mais tant pis. Je me dirige vers l'école, plus belle que jamais. Quand je vois Juliette et Lucie, j'attends de voir leur réaction :

— Qu'est-ce qui est arrivé à tes lunettes ? me demanda Lucie.

— Oh ! je n'en porte pas toujours ! dis-je.

— De toute façon, notre club est complet ! rétorque Juliette en s'éloignant.

Cela me fait l'effet d'un coup de fouet. Ma tactique ne semble pas fonctionner.

* * *

Ce soir-là, pour la première fois de ma vie, je pleure pendant des heures devant mon miroir. Qu'est-ce que j'ai qui ne me permet pas d'intégrer le club des filles ? C'est vrai que mon nez est plutôt long.

C'est vrai aussi que j'ai une petite bouche, mes cheveux sont courts et un peu frisés. Ils sont d'ailleurs tellement difficiles à coiffer. Mes yeux, on dirait qu'ils ne sont ni bleus, ni verts… plutôt gris en fait. Ma peau, et mes jambes qui ont trop fait de sport. Mes cuisses qui sont si musclées. Mes mains qui sont si longues. J'ai beau me regarder encore et encore, je n'arrive pas à me trouver des qualités physiques. Donc, je ne suis pas belle!

Pour me changer les idées, Nila, qui a passé le journée à essayer de me réconforter, décide de m'inviter à souper chez elle.

— Ma belle Noémie! dit sa mère en me serrant dans ses bras. (Tout de suite, je me sens mieux.) Moi, je te trouve si belle, tellement belle. Même quand tu pleures comme ça! Tes traits, ta peau, tes yeux, tes muscles, tes cheveux, tout ça, c'est toi. Et nous, moi et Nila et ta mère et ton père, c'est comme ça que nous t'aimons.

—Vous trouvez que je suis belle, madame?

—Bien sûr. Je m'y connais en beauté! Dans mon pays, on dit toujours que la beauté existe chez toute personne. Parfois c'est un sourire, parfois c'est une petite tristesse au coin de l'œil, parfois c'est de la détermination. Chez toi, c'est ta volonté de vouloir tout faire. Ta volonté de réussir te rend si belle. Quand je t'ai maquillée l'autre jour, je me suis basée sur cette force incroyable que tu as en toi. Je suis partie de toi et de ce que tu es! Tu sais être si belle.

—Est-ce que vous pourriez me refaire le même maquillage que l'autre jour? Peut-être que Juliette voudrait alors m'avoir dans son club.

—Je ne suis pas certaine que ce soit une bonne idée! répond Leka.

—Pourquoi? Vous n'êtes pas certaine de pouvoir me rendre assez belle? C'est ça, hein?

Et je recommence à pleurer.

Nila s'approche de moi et murmure tout doucement:

—Noémie, pour toi, je vais démissionner du club de beauté!

Je me remets à pleurer. Je ne comprends pas ce qui m'arrive, mais je ne peux plus m'arrêter de pleurer.

— Noémie, si ça peut te faire plaisir, j'appelle Juliette tout de suite!

—Non, Nila, je t'en prie, ne fais pas ça!

—Je n'ai aucun problème à faire ça pour toi!

—Mais pourquoi?

—Parce que tu es mon amie.

J'ai appris à connaître un peu plus Nila et sa famille et je dois dire qu'elles m'impressionnent beaucoup. Je sais que la parole de Nila est sacrée, comme ses parents le disent souvent. De plus, pour eux, l'amitié est une des choses les plus importantes. Alors que pour moi, avant de rencontrer Nila, le plus important était de gagner et d'être la meilleure en tout, toujours. Et là, j'aurais tant voulu être la plus belle. J'aurais voulu que Juliette me dise que je suis une princesse.

—Nila, est-ce que tu es mon amie?

—Oui, ma meilleure amie!

—Veux-tu faire quelque chose de très important pour moi?

—Oui, bien sûr!

—Mais je vais avoir besoin de l'aide de ta mère aussi!

—Ma mère?

\* \* \*

Je suis décidée à aller au bout de mon idée. Je vais utiliser les talents extra-ordinaires de la famille de Nila pour m'aider à devenir la plus belle fille possible. Je suis un peu inquiète à l'idée de changer aux yeux de mon entourage. Mais Nila fait tout pour m'aider.

Donc, Nila convainc sa mère et sa mère convainc la mienne. Ma mère convainc mon père. Seul Antoine n'en revient pas de ce que je veux faire.

— Noémie, qu'est-ce que c'est que ça ? Tu joues dans une pièce de théâtre ou quoi ? Je m'excuse, mais ce n'est pas toi ! J'ai l'impression de parler à une étrangère ! En tout cas, je ne vais pas jouer au tennis avec toi comme ça ! Tu es… tu as… je me sens gêné devant toi ! Reviens me voir quand tu auras retrouvé ton vrai visage !

Antoine, mon idole, celui qui m'a tout montré, s'en va loin de moi, sans même me demander de lui lancer un ballon de football ou de faire quelques paniers de basket.

Il faut dire que j'aurais bien des difficultés à courir ou à lancer un ballon même si je l'avais voulu. Leka, sous mes nombreuses insistances, a finalement accepté de me transformer complètement. En moins de soixante minutes, je suis devenue encore plus belle que l'autre jour. Je suis la déesse des déesses. Curieusement, cette fois-ci, je suis déterminée à rester habillée, maquillée et coiffée comme ça.

Je porte un long sari mauve qui descend jusqu'aux chevilles et un foulard vert et orange entoure mon cou. Mes cheveux ont doublé de longueur et de volume et ils sont si bien coiffés que l'on croirait que je me rends à un bal. Je porte aux pieds de petits souliers blancs à talons plats qui s'attachent par une petite pierre brillante semblable à de l'or. Leka, avec l'approbation de ma mère, m'a maquillée de façon discrète les paupières, les joues et les lèvres. Je dois le dire bien humblement : JE SUIS MAGNIFIQUE !

Mon frère Antoine, lui, déteste immédiatement mon allure. Évidemment, mon père sort l'appareil photo et prend au moins une cinquantaine de photos de ma spectaculaire transformation. Il ne doit pas comprendre ce qui me prend !

J'ai l'habitude d'être une battante, et je suis la meilleure dans tout ce que j'entreprends. Il n'est pas question que je ne gagne pas ma place dans le club de beauté de cette Juliette de malheur !

— Je vais mettre des oreillers supplémentaires dans ton lit pour que ta coiffure ne se défasse pas, dit ma mère en voyant qu'il se fait tard.

—Non maman, je ne me coucherai pas. Il n'est pas question que je rate mon entrée dans le club de beauté.

Ma mère est découragée. D'un côté, elle est fière de moi, mais de l'autre, elle trouve que je vais trop loin. Elle aimerait mieux que je ne joue pas à la princesse ce soir. Elle trouve que ce n'est pas moi. Mon père, lui, est tellement heureux. Il admire ma détermination. C'est même la première fois que je vois mes parents en désaccord.

Pour ma part, je suis convaincue qu'il faut porter le grand coup. Juliette n'aura pas d'autre choix que de m'accepter dans son club. Elle ne veut que des beautés? Je vais être la plus belle. Mais il n'est pas question que je me couche.

J'ai trop peur de défaire ma coiffure et de gâcher mon maquillage.

—Noémie, me dit Leka, enlève ta robe et couche-toi. Demain matin à 5 h 30, je serai chez toi pour t'aider à t'habiller.

—Merci, Leka.

Leka, ma mère et mon père me laissent un peu seule avec Nila qui, curieusement, ne sourit plus.

—Noémie, dit Nila inquiète, je préférerais appeler Juliette ce soir.

—Pour quoi faire?

—Pour lui annoncer que je démissionne du club de beauté.

—Il n'en est pas question, Nila!

—Ton frère a raison, Noémie, ce n'est pas toi. Pourquoi veux-tu faire partie du club de beauté ?

—Parce que tu es mon amie !

—Noémie, on revient comme avant ?

—Quoi ? Tu ne me trouves pas belle comme ça ?

—Tu es très belle !

—Ah ! Je sais, tu es jalouse, c'est ça ?

Et là, Nila se met à pleurer. Pendant au moins dix minutes, elle est inconsolable. Elle a peur que je me fasse ridiculiser demain à l'école et que je perde tous mes amis du soccer.

—Nila, je veux être belle ! Je veux faire partie du club de beauté ! Elle n'a pas le droit de me trouver laide !

—Tu n'es pas laide !

—Merci !

—Je veux dire, même en joueuse de soccer, tu n'es pas laide !

—Merci, Nila, merci… tu m'énerves avec ta gentillesse, mais tu es ma meilleure amie !

—Je vais être là pour toi et avec toi !

# LE JOURNAL DE NOÉMIE

*Mon petit secret du jour : je suis la plus grande têtue de la planète !*

*Si je me donne un objectif, je l'atteins. Pour moi, il n'y a pas d'autres possibilités. Par exemple, si je décide que je dois terminer mes devoirs avant d'aller jouer au basket-ball, je fais tout pour oublier le reste et je me concentre sur mes devoirs. J'ai donc cette grande qualité. Toutefois, cela me joue parfois des tours parce que j'agis sans réfléchir. L'autre jour, en camping, j'ai déclaré à mon père que je plongerais tous les jours à 5 h du matin dans le lac. Tout s'est très bien passé jusqu'au jour où il a plu très, très fort. Je me suis* tout de même sentie obligée de plonger dans l'eau froide. Je suis têtue ; très têtue et j'en suis fière !

CHAPITRE 8

# Une semaine
# très longue

Le lendemain, le directeur n'en croit
pas ses yeux. «Où est la grande sportive?» se demande-t-il. La secrétaire,
madame Letellier, me reconnaît et me
félicite pour ma tenue. Enfin, j'arrive
face à Juliette :

—Alors Juliette, est-ce que tu m'ac-
ceptes dans ton fameux club de beauté
ou suis-je toujours trop laide? lui dis-je
avant le début des classes.

— Rendez-vous à 10 h 11 sur la butte.

— J'y serai !

Cette journée est remplie d'embûches inimaginables. Je ne m'imaginais pas que cela pouvait être si difficile de faire partie d'un club de beauté ! J'aurais préféré faire un camp de football professionnel ou courir deux marathons la même journée que de subir tous ces tests ! Mais je n'ai plus le choix maintenant. Les filles ont décidé de voir jusqu'où je suis prête à aller.

— Premièrement, chère Noémie, si tu veux vraiment faire partie du club, tu dois passer tous les tests qui prouveront que tu peux être digne d'appartenir à notre groupe.

— Je n'ai peur de rien !

Ce jour-là, Juliette déborde d'imagination. Les tests se déroulent durant la récréation. Je dois porter différentes paires de chaussures à talon haut – mais où Juliette se les procure-t-elle ? – et marcher sur de la terre, du sable, de l'herbe, maintenir mon équilibre sur un tronc d'arbre, et tout ça avec le sourire. Les dix filles du comité de sélection ont mal pour moi. Je sais bien que Juliette exagère, mais je suis déterminée comme jamais. En même temps, je commence à réaliser le ridicule de la situation...

Le midi, après avoir mangé rapidement, je n'ai pas le temps de rejoindre mes amis Jean-Charles et Luc au terrain de basket. Depuis ce matin, on n'a pas eu l'occasion de se parler. Il a bien fallu que je prenne des photos de mode et que je me plie aux ordres de mademoiselle

Juliette en personne, qui trouve que je suis beaucoup trop rigide pour porter de beaux vêtements.

Je vois bien que Juliette essaie de me pousser à bout. Elle croit que je ne réussirai pas à passer toutes les étapes de sélection qu'elle m'impose. Mais je suis persévérante et rien ne me fait peur… ou presque !

L'après-midi, je dois effectuer de petites improvisations devant tout le groupe et expliquer l'importance de ce club de beauté. J'ai vraiment horreur de parler devant un groupe. Quand je fais du sport de compétition, je ne me rends même pas compte que des gens me regardent et ça ne me dérange pas. Je n'entends ni les applaudissements, ni les huées. Je me sens bien, tout simplement. Toutefois, quand je dois parler devant la classe, je n'arrive même pas à dormir la veille. Je soupçonne Juliette de connaître cette faiblesse, ce trac incontrôlable.

—Noémie, dit la petite Lucie en tenant une feuille de papier, tu dois faire une improvisation de quatre minutes devant tout le groupe en nous regardant dans les yeux avec le sourire et, surtout, sans interruption de plus de trois secondes. Juliette te chronomètrera.

Je me dis que mon sort est joué. Je suis certaine que je n'arriverai jamais à suivre ces règles ridicules. Nila vient m'encourager… à quitter !

—Noémie, je ne te sens pas bien. Je ne sais pas pourquoi je te dis ça, mais tu devrais arrêter… tout de suite !

—Nila, tu m'insultes! Je n'ai jamais reculé devant rien. Et ce n'est pas aujourd'hui que je vais le faire.

—Tu en es certaine?

—Oui, parfaitement, dis-je en mentant effrontément.

—Alors, puisque c'est ce que tu veux vraiment faire, je suis avec toi.

—J'aime mieux ça!

Nila me donne une petite tape sur l'épaule et retourne s'asseoir parmi les membres du club de beauté. Elles sont au moins vingt en plus du comité de sélection et elles sont toutes plus belles les unes que les autres. Elles me regardent toutes avec un drôle d'air, comme si elles se disaient, comme Nila, que je ne mérite certainement pas d'être là!

Qu'aujourd'hui ma beauté est trop parfaite pour être vraie !

Juliette jubile en allant rejoindre ses
amies. Elle semble certaine que je ne
passerai pas à travers cette difficile
étape.

Je ne sais pas trop pourquoi, mais sa
réaction me rend furieuse. Cependant,
je désire tellement lui prouver que je
suis belle, moi aussi, que je suis prête à
tout pour entrer dans ce club ; même si
au fond de moi j'adore mes cuisses sportives et mes cheveux courts.

Alors, comme j'ai le sens de la compétition en moi, je ne me laisse jamais
abattre et vais toujours jusqu'au bout
des choses.

Il me reste tout de même à passer
cette incroyable étape d'improvisation.

Lucie commence à me donner les directives :

— Noémie, toutes les filles ici présentes ont passé avec succès cette étape difficile. Tu dois parler durant quatre minutes sur le thème que je vais te donner. Tu ne dois ni cligner des yeux, ni regarder par terre, ni bégayer, ni garder le silence. Et pour réussir, tu dois obtenir le vote unanime des membres du comité de sélection.

— Alors, es-tu prête ? À moins que tu ne décides d'abandonner maintenant ? crie Juliette pour faire rire tout son groupe.

J'aimerais m'enfuir et préférerais marquer deux ou trois buts avec mon équipe de soccer. Je voudrais retrouver mes vêtements de sport et mes cheveux courts que j'aime tant. Je souhaiterais aussi mettre mes nouvelles lunettes, celles que ma mère vient de m'acheter. Je voudrais courir le plus loin possible de ce club de beauté, mais je veux aussi absolument en faire partie. Surtout pour leur prouver, à toutes, que je suis belle moi aussi.

—Le thème de ton improvisation, Noémie, annonce Lucie, est : COMMENT PUIS-JE ÊTRE BELLE ET M'HABILLER SI SOUVENT COMME UN GARÇON ? Tu as quatre minutes et tu dois commencer dans dix secondes.

*10, 9, 8, 7,...!*

J'ai l'impression de plonger dans un bain d'eau bouillante ou de prendre l'autobus scolaire en pyjama. Je voudrais vraiment être ailleurs. En plus, ce sujet est vraiment cruel et je suis

certaine que c'est Juliette elle-même qui en a eu l'idée. Je me sens directement visée : je donne une image de garçon manqué, je suis différente des autres et je ne pourrai jamais être belle.

Il reste cinq secondes. En cinq secondes, je peux me rendre très loin en courant. Je tourne donc mon regard vers la gauche où il y a un sentier dans le bois situé à côté de l'école et prends la décision de m'enfuir. Même si je porte une robe indienne, aujourd'hui je sais que je peux me sauver à la vitesse de l'éclair et enfin ce cauchemar prendra fin. Je me mets donc à courir. Tout le groupe se lève et s'exclame à l'unisson :
– OH !

Je vois du coin de l'œil que Juliette jubile de me voir fuir. À ma troisième enjambée, je me dis qu'en fuyant ainsi, je cède la victoire à Juliette. Comme j'adore gagner… Mes jambes continuent à courir lorsque j'aperçois le regard de Nila qui sourit. Elle me pointe du doigt et dit très fort :

—Pour moi, Noémie, tu es la plus belle !

Je reconnais là mon amie fidèle et, en même temps, cela me donne une idée.

—Attention, Noémie, tu dois commencer dans une seconde, continue Lucie en décomptant.

Je saisis tout à coup Nila par le bras et l'attire vers moi.

—Noémie, tu as quatre minutes, répète Lucie très fort; COMMENT PUIS-JE ÊTRE BELLE ET M'HA-BILLER SI SOUVENT COMME UN GARÇON ?

Soudain, monsieur Martel et madame Larrivée, ma professeure, s'approchent. Les professeurs et la direction connaissent l'existence de ce club de beauté. Il paraît que dans les années précédentes, ils avaient voulu interdire ce genre de clubs. Puis, sur l'insistance de certains parents, ils ont décidé de les laisser exister à condition de pouvoir parfois être présents aux réunions.

— Continuez, continuez, dit monsieur Martel. Qu'est-ce que vous faites exactement aujourd'hui ?

— Noémie veut faire partie du club de beauté ! dit Nila, et elle doit subir les tests d'admission.

— Ah, oui ? Notre grande sportive s'intéresse aussi à la beauté et à la danse ? C'est vraiment très intéressant !

Aussi incroyable que cela puisse paraître, je comprends que mon admission au club est alors possible. En effet, si je m'en sors bien, la présence de monsieur Martel et de madame Larrivée fera en sorte que Juliette ne pourra pas me rejeter. Je prends donc mon courage à deux mains et je me lance dans la compétition.

Je commence alors à parler et, sans m'en rendre compte, je perds instantanément toute ma gêne et ma nervosité. J'éprouve la même sensation que sur un terrain de soccer. Le ballon est en ma possession. Il ne me reste plus qu'à dribbler pendant quatre minutes avec des mots. Je commence donc, comme à mon habitude, avec une belle passe à Nila.

— Bonjour, Nila, je te trouve particulièrement belle avec ta robe indienne, tes bijoux et ta façon de marcher qui ressemble à une danse.

Je suis lancée. Mon idée est simple, mais très bonne. Tout le monde m'écoute attentivement. Nila reçoit ma passe et d'un sourire me redonne le ballon en tournant autour de moi et en admirant ma robe.

Ce que Nila veut montrer sans parler, c'est que je porte aujourd'hui une de ses robes. J'ai reçu les bons soins de sa mère comme elle les reçoit tous les jours. Donc, je reprends ma question :

— N'est-ce pas que Nila est belle ?

Tout le monde répond très fort :

– OUI !

— Vous avez raison. Nila, tu peux retourner avec les autres. Elle est belle naturellement comme vous l'êtes toutes sûrement. Vous êtes d'accord parce que vous l'avez acceptée dans votre club. Elle mérite tous vos applaudissements.

Sur mon invitation, tout le monde se met à applaudir Nila qui paraît un tout petit peu gênée de tout cet intérêt.

—Donc, étant donné que je suis habillée, coiffée et maquillée comme Nila, je devrais moi aussi être considérée comme étant belle !

—Oui ! dit Nila en commençant à m'applaudir.

—Merci, Nila, mais au fond je ne suis pas tout à fait d'accord. Car je ne me sens pas tout à fait moi dans ces habits. Un peu comme si je m'étais déguisée pour l'Halloween. Sur Nila, tout cela est très beau. Sur moi, c'est beau mais ce n'est pas moi… moi, je ressemble davantage à un garçon.

Et là, je sors de mon petit sac à main les lunettes neuves que ma mère m'a achetées hier soir et je les pose sur mon nez.

— D'habitude, je porte des lunettes. Mais depuis que Juliette m'a déclaré que celles qui portent des lunettes ne sont pas belles, j'ai arrêté de les porter, ici, à l'école. Alors, en me voyant pleurer parce que je ne me trouvais pas belle avec mes lunettes, ma mère m'en a acheté de nouvelles, très belles, très à la mode. Ce sont des lunettes de marque, elles valent très cher. Cette marque de lunettes est vantée par un mannequin très connu, je ne me souviens plus de son nom.

—C'est Gisèle Bündchen, dit Juliette, c'est mon idole. Ça, ce sont de belles lunettes !

—Chut, dit Lucie, tu n'as pas le droit de parler, Juliette, c'est Noémie qui doit faire ses quatre minutes et il ne lui en reste plus qu'une.

—Eh bien, je ne l'ai pas dit à ma mère, mais je ne les aime pas ces lunettes. Je ne sais pas trop pourquoi, mais je me sens mieux et plus belle avec mes lunettes habituelles, qui ne tiennent qu'avec un morceau de ruban adhésif. Ce sont des lunettes avec lesquelles j'ai toujours fait du sport.

Alors j'enlève les lunettes neuves et je place devant mes yeux ma paire de lunettes cassées et rafistolées. En faisant cela, je m'attendais à ce que tout le monde se mette à rire et qu'enfin ce calvaire prendrait fin. Pourtant, les filles ainsi que mon professeur et le directeur gardent le silence et continuent de m'observer. C'est Lucie qui rompt ce silence :

— Il te reste dix secondes, Noémie !

— C'est donc pour ça qu'avec mes lunettes de sportive et même si je ressemble parfois à un garçon, je me sens quand même très belle !

— C'est terminé, annonce alors Lucie.

Tout le monde commence à m'applaudir, lentement au début, puis de plus en plus fort. J'ai la curieuse sensation que je viens de marquer un but et de faire gagner mon équipe.

Ce soir-là, en arrivant à la maison, j'enlève les vêtements de Nila à la vitesse grand V et je remets mes habits préférés. Puis, le besoin de frapper au moins trois cents balles de tennis contre le mur de l'école se fait ressentir. Après cela, je vais rejoindre Jean-Charles et Luc qui jouent une partie de *touch-football* au parc.

— Est-ce que je peux jouer avec vous ?

— On ne joue pas avec les filles ! me lance Jean-Charles en riant.

— Seulement avec les filles qui portent des robes indiennes ! continue Luc.

Les garçons se mettent à rire de ma journée puis, comme j'attrape les trois premières passes dirigées vers moi et que notre équipe marque les trois premiers points, c'est facile de retrouver ma gang de sportifs. Personne ne fait allusion à mon discours et c'est tant mieux pour moi !

Au bout d'une demi-heure de jeu, Nila arrive. Elle insiste pour jouer avec nous et, même si elle est maladroite, c'est très agréable. Ce soir-là, mes parents invitent tous mes amis sportifs à souper à la maison, ainsi que Nila. Je me sens bien. Devant mes amis, j'ose finalement enlever mes lunettes cassées et je mets mes nouvelles lunettes. À ma plus grande joie, mes amis me félicitent.

## JOURNAL DE NOÉMIE

*Secret : les gens nous réservent parfois de magnifiques surprises.*

*Bien que je sois têtue et déterminée, je sais aussi parfois changer d'avis et me laisser convaincre par les autres. Je n'ai pas vraiment d'autres choses à écrire. Je suis même trop fatiguée.*

# CHAPITRE 9

# Les lunettes cassées

En me rendant à l'école le lendemain, je suis déterminée à mettre fin à mes tentatives de faire partie du club de beauté. À ma grande surprise, toutes les filles du club m'accueillent chaleureusement. Juliette me demande de me joindre au groupe pour une petite cérémonie sur la butte, juste avant le début des cours.

— Noémie, commence Juliette, nous sommes toutes très fières de t'annoncer que tu as été acceptée à l'unanimité dans notre club de beauté.

—Ah, oui ? dis-je un peu surprise tout de même.

—Ce midi, aura lieu notre première réunion ! Et elle est obligatoire !

Curieusement, c'est aussi le moment où se fera l'inscription à la Ligue de hockey cosom de l'école. Tous mes amis des équipes de soccer y sont déjà inscrits. Pour ma part, j'avais un peu hésité étant donné mes toutes dernières péripéties.

J'ai du mal à imaginer que je ne jouerai pas. En même temps, je me suis tellement battue pour que les filles m'acceptent ! Je ne sais plus quelle décision prendre.

—On se voit à midi et demi, monsieur Martel va tirer au sort les noms pour former les équipes, me dit Jean-Charles en passant près de moi. J'espère qu'on va être dans la même équipe.

Les mots restent coincés dans ma gorge. Je n'arrive plus à parler. Je me contente de sourire et continue à me demander ce que je vais faire.

* * *

À midi, je me dirige vers la butte. J'ai bien réfléchi et je m'apprête à annoncer aux filles que je dois renoncer au club de beauté. Je me sens vraiment mal; j'aurai tellement aimé pouvoir tout faire. Nila vient à ma rencontre sur le petit sentier qui mène à la butte.

— Allô, Noémie, je suis tellement fière de toi !

—Justement Nila, je…

—Chut! chut! je ne devrais pas te dire cela mais il y a une surprise pour toi!

—Quoi?

—Oui, les filles t'ont tellement aimée, elles ont tellement apprécié ce que tu as dit... viens!

Avant que je n'aie le temps de dire quoi que ce soit, les filles m'applaudissent. Juliette arrive alors en portant un écusson, sur un petit plateau orné d'une petite nappe de dentelle brodée.

—Noémie, dit Juliette sans autre forme de préambule, tu es en train de tout transformer dans notre club. Jamais nous n'avons accueilli quelqu'un comme toi, qui a tellement de centres d'intérêts: tu aimes la mode, la beauté et aussi l'action et le sport.

—Justement, en parlant de sport, les filles, je voulais vous dire…

—Chut! chut! chut! Noémie, je sais que tu parles bien, mais tu auras le temps de le faire tout à l'heure. Assieds-toi, on t'a préparé un petit spectacle!

—Quoi?

Et là, je suis vraiment séduite par ce que mes nouvelles amies font pour moi. Imaginez vingt filles qui dansent juste pour moi. Par la suite, Nila m'expliquera qu'elles s'étaient réunies la veille pour créer une nouvelle chorégraphie. Et quelle superbe chorégraphie! Pour bien m'accueillir, elles avaient décidé de recréer des situations sportives en danse. Elles se passent un ballon de soccer avec habileté, avant de marquer un but au hockey et de créer une

sculpture extraordinaire en l'honneur de mon intérêt pour le football.

Comble de joie, la fin de la chorégraphie m'impressionne fortement, elles se mettent toutes sur le nez des lunettes en carton qui ressemblent comme deux gouttes d'eau à mes lunettes cassées.

Je me lève pour les applaudir de toutes mes forces. Jamais, on ne m'a montré autant de gentillesse dans ma vie. Nila s'approche de moi, me remet mes lunettes cassées – qu'elle avait pris chez moi la veille – et m' invite à m'installer au milieu du groupe pour la photo officielle de mon admission dans le club de beauté. C'est Jean-Charles le photographe. Je ne savais même pas qu'il était au courant de ce qui se tramait ce matin !

Après avoir pris deux ou trois photos, Jean-Charles remet l'appareil à Juliette et se tourne vers moi :

— Tu viens nous rejoindre au gymnase pour la formation des équipes ?

Avant même d'attendre ma réponse, il part en courant vers un groupe de garçons qui se sont inscris à la Ligue de hockey cosom. Maintenant que Jean-Charles a dit cela devant les filles du club de beauté, je ne peux plus me défiler.

— Juliette, Nila, Lucie, les filles, je vous trouve vraiment extraordinaires. Seulement, j'ai un immense problème. J'aime être avec vous dans le club de beauté, mais j'ai aussi la passion du hockey cosom. Je ne sais vraiment pas quoi faire, l'inscription a lieu maintenant !

— Écoute, Noémie, commence Juliette étrangement souriante et calme aujourd'hui, quand une nouvelle fille est admise au club, elle a droit à un cadeau de bienvenue. C'est toujours la nouvelle qui décide. Nila a eu un bracelet, Lucie, un foulard… Toi, tu peux peut-être nous demander d'aller te voir jouer au hockey cosom ? On va t'encourager. On a plusieurs réunions, tu nous diras quand tu pourras être avec nous, c'est aussi simple que ça !

— Ah, oui ? Vous accepteriez cela ?

— Oui ! répondent Juliette et toutes les filles en chœur.

— Alors, qu'est-ce que tu veux comme cadeau ? demande Juliette.

J'ai tout à coup une idée géniale.

— J'accepte de faire partie du club de beauté si vous acceptez de comprendre que je vais continuer à faire du sport.

— Pas de problème !

— Donc, comme je vais beaucoup apprendre de vous toutes en danse et sur la mode. Je vous demande de m'offrir un cadeau qui ne vous coûtera rien, mais qui vous permettra d'avoir beaucoup de plaisir à faire d'autres choses.

— Qu'est-ce que c'est ? demandent plusieurs filles intéressées.

— Vous avez deux minutes pour vous décider. Vous devez toutes vous inscrire au tournoi de hockey cosom qui ne dure que deux semaines !

— QUOI ?

— C'est le cadeau que je vous demande de m'offrir ! On partage un peu de qui nous sommes. Dépêchez-vous, on a à peine deux minutes pour s'inscrire, moi j'y vais !

Je pars en courant vers le gymnase, ne prenant même pas la peine de me retourner. Au gymnase, monsieur Martel s'apprête à fermer son cahier d'inscription et à procéder à la formation des équipes.

—Monsieur Martel, attendez, attendez, pouvez-vous encore m'inscrire ?

Monsieur Martel lève les yeux et commence par me faire un beau sourire. Puis, sur son visage, je remarque qu'une légère panique s'installe.

—Mais... mais... je ne suis pas certain qu'on va avoir le temps de toutes vous inscrire !

—Quoi? Mais ça ne prendra que dix secondes! Noémie Lacroix.

—Nila Madhni!

—Lucie Langlois!

—Juliette Monterey!

Tout le club de beauté est là pour s'inscrire et monsieur Martel en est tout époustouflé! Au bout de quinze minutes, il nomme les joueurs qui formeront les équipes.

—Je vous laisse cinq minutes pour trouver le nom de votre équipe. Je vais planifier le tournoi qui débutera dès demain, ici même à midi et demi. Merci de participer en si grand nombre. Je suis très content qu'il y ait autant de joueurs et de joueuses!

J'ai la chance d'être dans la même équipe que Nila, Jean-Charles et Juliette, il y a aussi trois autres filles du club de beauté. Juliette propose que l'on s'appelle « Les lunettes cassées ». Toute l'équipe approuve à l'unanimité. Nous ne serons peut-être pas la meilleure équipe du tournoi, mais nous nous amuserons certainement.

* * *

La fin de mon année scolaire, et surtout parascolaire, s'annonce maintenant très intéressante. Je vais pouvoir explorer de nouveaux aspects comme la danse et la beauté... et enfin être moi-même ! Pas de problème pour m'en souvenir : je garde précieusement dans un coffret mes lunettes cassées, afin de me rappeler qui je suis réellement et que la beauté réside avant tout dans le fait de se sentir bien avec soi-même!

Merci Nila, Juliette, Lucie, Jean-Charles et Luc!

## LE JOURNAL DE NOÉMIE

*Mon petit secret du jour : je me trouve belle comme je suis !*

FIN

# La nouvelle sœur de Gaspard

Sylvie Khandjian

# Chapitre 1

# À cause d'elle

Gaspard est grognon ce matin. Comme chaque jour, il vient de tracer une nouvelle croix au stylo rouge sur son calendrier mural. Sauf qu'aujourd'hui, il a ensuite décidé de compter toutes les croix qu'il a déjà faites. Il en a dénombré trente et ce décompte le met de mauvaise humeur.

Trente croix, cela signifie que ses parents sont partis à l'autre bout du monde, en Inde, depuis exactement

254

trente jours. Cela fait donc un mois que ses grands-parents sont venus vivre à la maison pour s'occuper de son petit frère, Édouard, et de lui.

Au début, pendant la première semaine, il trouvait génial que mamie et papi habitent à la maison. C'était différent et ça lui plaisait. Ils le laissaient regarder la télévision plus souvent et l'amenaient régulièrement faire de belles sorties. Mais maintenant, après tout un mois, Gaspard commence à en avoir assez de vivre avec eux. Ce n'est plus aussi drôle qu'au début. Ses grands-parents, il les aime beaucoup, mais à force de vivre avec eux, ils finissent par l'énerver.

Et puis, ses parents lui manquent. Chaque jour, ils lui manquent un peu plus. Le pire, c'est que Gaspard ne sait pas combien de temps cela va encore durer.

Il aimerait retrouver sa vie normale, sa vie d'il y a un mois. Le problème, c'est que sa vie ne sera plus jamais « normale » et il le sait très bien. Plus jamais sa famille ne sera composée de papa, maman, Édouard et lui, car quand ses parents rentreront – s'ils veulent bien finir par rentrer un jour –, ils ne seront pas seuls. Dans leurs bagages, ils ramèneront une petite fille : Shanti, sa nouvelle petite sœur.

Au départ, ses parents ne devaient partir que deux semaines ; le temps d'aller chercher Shanti, de remplir les derniers formulaires pour son adoption et de la ramener à la maison. Malheureusement, ils ont eu des problèmes avec l'administration indienne, ce qui a retardé leur retour. Quand ces problèmes ont fini par être réglés, alors que Gaspard croyait que ses parents allaient enfin rentrer, Shanti est tombée gravement malade et a dû être hospitalisée. Maintenant, ses parents doivent attendre qu'elle se rétablisse avant de pouvoir la faire voyager.

Gaspard en a assez d'attendre. Aujourd'hui, en ce trentième jour sans parents, Gaspard n'a plus vraiment envie de rencontrer cette nouvelle petite sœur qu'il avait pourtant si hâte de connaître.

Cela fait presque deux ans que ses parents ont entrepris d'adopter une petite Indienne, mais les démarches d'adoption internationale sont très longues et Gaspard l'a vite appris.

Un an après le début du projet, un bébé fille de huit mois, appelé Shanti, leur avait enfin été proposé. Tous les membres de la famille se réjouissaient déjà de l'accueillir et de lui faire une place dans leur cœur. Gaspard et Édouard étaient fous de joie à l'idée d'avoir une petite sœur.

Toutefois, les mois ont passé et l'adoption ne se faisait toujours pas. Gaspard commençait à désespérer que sa sœur n'arrive jamais. Quand finalement, il y a de cela cinq semaines exactement, ses parents ont reçu le coup de téléphone tant attendu : Shanti les attendait. Elle était enfin prête à joindre leur famille.

Quelques jours plus tard, les parents ont confié Gaspard et Édouard à leurs grands-parents et se sont envolés pour l'Inde. C'était il y a un mois aujourd'hui même.

Après tous ces mois, toutes ces semaines à attendre, Gaspard a fini par se lasser. Depuis quelques jours, il a perdu tout intérêt pour cette petite sœur tant espérée. Il lui en veut même, à cette Shanti de malheur. À cause d'elle, il est obligé de vivre avec mamie et papi. À cause d'elle, il n'a pas vu ses parents depuis des jours et des jours. À cause d'elle, ils se sont fait abandonner, lui et Édouard. En plus, à cause d'elle, Gaspard devra bientôt quitter sa chambre pour partager celle de son frère.

Bref, à cause d'elle, la vie de Gaspard ne sera plus jamais la même. Alors, avant de l'avoir rencontrée et sans même la connaître, Gaspard commence déjà à détester cette petite sœur. « Si seulement mes parents pouvaient revenir les mains vides », songe-t-il en lui-même.

—Gaspard ! Dépêche-toi ou tu vas rater l'autobus scolaire, lui crie mamie depuis la cuisine, coupant court à ses réflexions.

Gaspard soupire. Il n'a aucune envie d'aller à l'école, mais, à bien y penser, il a encore moins envie de passer la journée avec ses grands-parents, alors il s'habille en vitesse et descend déjeuner. Puis, après avoir embrassé mamie et papi, Édouard et Gaspard courent prendre l'autobus.

\* \* \*

À leur retour de l'école, mamie les accueille avec un bon lait au chocolat et une tarte aux fraises. Les deux frères se ruent sur leur collation avec appétit.

— J'ai une bonne nouvelle pour vous, les garçons, leur dit mamie avec un grand sourire. Vos parents ont téléphoné ce matin et...

— Est-ce qu'ils rentrent bientôt ? la coupe Édouard, impatient de savoir.

— Oui, mon grand. À l'heure qu'il est, ils sont sans doute dans un avion en route vers ici. Si tout va bien, ils seront à la maison demain après-midi, à votre retour de l'école, leur explique-t-elle.

— Youpi ! crie Édouard. En se levant pour aller se jeter dans les bras de mamie, il renverse par mégarde son verre. Le lait au chocolat se répand sur

les jambes de son grand frère qui sort de ses gonds.

— Tu ne pourrais pas faire attention, non ? crie Gaspard. Tu l'as fait exprès ou quoi ?

Édouard éclate en sanglots dans les bras de mamie.

— Ce n'est rien, Édouard, rien qu'un petit accident, dit mamie en caressant ses cheveux roux. Nous allons nettoyer tout cela ensemble. Quant à toi, Gaspard, sois un peu plus patient et gentil avec ton frère. J'aimerais que tu lui présentes des excuses, s'il te plaît.

— Non. Pas question ! Par sa faute, je suis mouillé et tout collant. Il n'avait qu'à faire attention. C'est à lui de s'excuser, pas à moi ! lance Gaspard avec mauvaise humeur.

—Monte immédiatement dans ta chambre, jeune homme, gronde papi de sa grosse voix. Va réfléchir un peu à ta conduite.

Gaspard ne se fait pas prier et quitte précipitamment la cuisine. Après avoir fait claquer la porte de sa chambre bien fort, il se réfugie dans son lit. Il voudrait crier, hurler, pleurer.

—Ce n'est pas juste, songe-t-il. Mon frère fait des bêtises, mais c'est moi qui suis puni. C'est vraiment trop injuste !

Tout en pleurnichant sur son triste sort, Gaspard prend son ours en peluche préféré, Nono, et le serre longuement dans ses bras. Même s'il est très usé et qu'il lui manque un œil, une oreille et une patte, Nono réussit toujours à le réconforter. Rapidement, Gaspard retrouve son calme, mais pour se sentir vraiment bien, ce qu'il aimerait par-dessus tout, c'est de sentir les bras de maman le bercer. Comme il aimerait qu'en cet instant elle soit là, auprès de lui. Elle lui manque tant !

— Maman a préféré partir chercher une petite fille à l'autre bout du monde plutôt que de rester avec ses deux fils, confie-t-il à son vieil ours. Tu imagines, Nono, papa et maman préfèrent s'occuper d'une parfaite inconnue que d'Édouard et moi.

Pourtant, depuis des mois, Gaspard et toute la famille ont activement préparé la venue de Shanti. Gaspard était toujours impatient de voir les photos et de lire les lettres envoyées par l'agence d'adoption. Il se réjouissait de faire la connaissance de cette Shanti aux yeux noir charbon et au regard triste. Être à nouveau grand frère pour cette petite sœur venue d'ailleurs le remplissait de fierté.

Cependant, aujourd'hui, à la veille de son arrivée, Gaspard a perdu toute envie de voir Shanti débarquer dans sa vie. Il n'est plus du tout impatient d'être son grand frère. Secrètement, il espère même que ses parents soient obligés de la laisser en Inde. Si seulement c'était possible...

*Toc, toc, toc,* entend-il cogner contre sa porte.

— Gaspard ? Est-ce que je peux entrer, mon grand ? demande mamie derrière la porte.

Gaspard soupire. Du revers de sa manche, il s'essuie les yeux et sèche ses larmes.

— Oui, oui. Entre, mamie, répond-il d'une petite voix.

— Ça va, mon grand ? Tu veux qu'on parle un peu ? lui demande-t-elle en prenant place à ses côtés sur le lit.

Mamie veut toujours parler. D'habitude, Gaspard aime bien bavarder avec elle, de tout et de rien, mais parfois, il se sent forcé de se confier à elle et cela lui déplaît. Il préférerait rester dans son coin, en silence, comme en ce moment justement, où il ne ressent aucun désir de parler. De toute manière, il sait qu'il serait bien incapable de trouver les mots pour dire tout ce qu'il ressent.

— Je peux comprendre ta colère, mon grand, commence mamie avec douceur tout en lui caressant les cheveux. Tu as tous les droits d'être en colère contre tes parents qui t'obligent à vivre avec tes vieux grands-parents énervants.

— Heu... non, ce n'est pas ça, balbutie Gaspard en rougissant.

— Tu sais, c'est normal que tu nous en veuilles, à tes parents et à ton grand-père et à moi, pour ce que tu vis ces derniers temps. Ce ne doit pas être facile tous les jours, mais tu n'as pas à t'en prendre à ton petit frère. Il n'y est pour rien. Tu comprends ? Édouard n'a rien à voir avec ta colère, alors ne la retourne pas contre lui, s'il te plaît.

Gaspard écoute attentivement sa grand-mère. Elle a raison et il le sait bien. Il s'en veut de s'être emporté contre Édouard. Au fond, ce n'est pas grave de renverser un verre. « Même à moi, ça m'arrive, songe-t-il. En fait, ce n'est pas à Édouard que j'en veux, mais à Shanti. »

Après avoir demandé pardon à mamie, il se dépêche d'aller retrouver son frère pour s'excuser. Il en profite aussi pour s'excuser de son comportement auprès de papi.

Puis, dans la bonne humeur, la soirée se passe à ranger la maison pour que tout soit parfait pour l'arrivée des parents le lendemain. Et aussi l'arrivée de Shanti.

# CHAPITRE 2

# Le grand retour

En partant à l'école le lendemain matin, Gaspard a l'estomac noué. Une excitation intense s'est emparée de lui : c'est comme si des centaines de papillons lui chatouillaient l'intérieur du ventre. Dans quelques heures, il reverra enfin son papa et sa maman. Après un mois d'absence, il n'en peut plus d'attendre le moment où il pourra enfin se jeter dans leurs bras.

Gaspard aimerait que les heures passent plus vite. La journée vient à peine de commencer et pourtant, chaque minute semble durer une éternité. Il souhaiterait déjà être sur le trajet du retour alors qu'il vient tout juste de partir pour l'école.

« Je sens que la journée va être longue », soupire-t-il en descendant de l'autobus scolaire.

Il salue son petit frère, qui court rejoindre ses amis de maternelle, puis se dirige à son tour vers son groupe d'amis de quatrième année.

—Alors, elle est arrivée, ta nouvelle sœur ? lui demande Antoine avec curiosité.

Antoine est son meilleur ami. Physiquement, les deux garçons ne se ressemblent pas, mais alors là pas du tout. Gaspard est grand et mince. Sa peau est basanée et ses yeux, comme ses cheveux, sont d'un brun très foncé, tandis qu'Antoine, lui, est petit, plutôt rondelet, avec des cheveux blonds comme les blés et des yeux aussi bleus que ceux des chiens huskies.

—Non, répond Gaspard. Elle doit arriver aujourd'hui.

—C'est génial ! Tu dois être super impatient, dit Antoine avec un grand sourire.

—Alors ça, non, pas du tout ! lance Gaspard, énervé. J'aimerais mieux qu'elle n'arrive jamais, cette sœur de malheur. Je n'en veux plus ! Si seulement mes parents pouvaient la perdre en chemin !

—Quoi ? répondent ses amis en chœur, très étonnés de ce qu'ils viennent d'entendre.

Depuis des mois, Gaspard leur parle de sa future sœur, et il le fait toujours avec beaucoup d'enthousiasme. C'est Shanti par-ci, Shanti par-là. Alors, pourquoi ce matin Gaspard voudrait-il que Shanti ne devienne plus sa sœur ? Ses amis restent bouche bée.

—Tu étais pourtant si impatient de nous la présenter, finit par dire Antoine. Je ne comprends pas...

Gaspard ne sait pas très bien quoi lui répondre. C'est vrai que, jusqu'à avant-hier, il avait hâte de connaître cette petite sœur. Depuis, il a toutefois réalisé tous les inconvénients que sa présence allait amener dans sa vie : finie la tranquillité, finie l'exclusivité de ses parents, finies les activités de grands en famille ! Dès demain, il y aura un bébé à la maison qui viendra tout bouleverser.

La cloche de l'école sonne le début des cours. Gaspard est soulagé. Il vient d'être sauvé par la cloche et évite ainsi de répondre à la question d'Antoine.

Comme Gaspard s'y attendait, la journée passe très lentement. Chaque cours semble durer des heures. Toutes les cinq minutes, Gaspard regarde discrètement sa montre, espérant toujours qu'au moins une demi-heure sera passée. Mais non, chaque fois, à peine quelques minutes se sont écoulées.

À 15 h 30, la cloche sonne enfin la fin de la journée. Sans attendre, Gaspard se précipite vers les autobus scolaires. Alors qu'il s'apprête à grimper dans son autobus, son ami Antoine l'arrête.

— Bonne chance avec ta petite sœur, lui dit-il avec un sourire timide. Je suis certain que tu vas l'aimer. Allez, salut et à demain.

—C'est ça, salut, répond Gaspard. Et ça m'étonnerait que je l'aime, marmonne-t-il en lui-même. Je ne lui laisserai pas ce plaisir. Je ne me ferai pas avoir.

* * *

Le trajet jusqu'à la maison paraît bien plus long que d'habitude ; comme si tous les feux de circulation s'étaient donné le mot pour passer au rouge devant l'autobus scolaire.

—Dis, Gaspard, chuchote son petit frère qui est assis à ses côtés. Te rends-tu compte que maman et papa seront à la maison pour nous accueillir ?

—Oui, je sais. J'ai tellement hâte de les revoir, soupire Gaspard qui ne peut retenir sa joie.

—Oh oui, moi aussi ! lance Édouard. Et je suis si curieux de voir Shanti ! Je me demande comment elle est. Tu crois qu'elle a beaucoup changé depuis la dernière photo ?

—Je n'en sais rien et je m'en fiche complètement, répond Gaspard d'un ton bourru.

—Ah, bon ? Tu n'es pas pressé de la voir ? demande Édouard, les yeux ronds d'étonnement.

—Non. Pas du tout. Et si tu veux vraiment le savoir, je n'ai carrément aucune envie de la rencontrer, lui avoue Gaspard.

Le reste du trajet se passe dans un silence de plomb. Édouard est surpris de l'attitude de son grand frère. Il aimerait comprendre ce qui a bien pu se passer pour qu'il ne veuille plus connaître Shanti. Depuis des mois, ils attendent tous les deux ce jour avec impatience. Édouard est plus excité que jamais à l'idée d'enfin la prendre dans ses bras et de devenir grand frère à son tour, mais il est déçu de voir que ce n'est pas le cas de son grand frère.

L'autobus s'arrête devant leur maison. Les deux frères saluent leurs amis, puis se dirigent rapidement chez eux. Sur le pas de la porte, alors qu'il s'apprête à l'ouvrir, Gaspard s'arrête, la main sur la poignée.

— Dépêche-toi ! le presse Édouard en le poussant du coude. Allez, ouvre !

Tout à coup, Gaspard a peur de ce qui l'attend de l'autre côté de la porte. Si jamais ses parents avaient tellement aimé leur voyage en Inde qu'ils souhaitaient maintenant s'y installer ? Si jamais ils n'avaient pas assez d'amour dans leur cœur pour trois enfants ? S'ils préféraient Shanti à Édouard et lui ?

Et si, et si, et si… Les questions se bousculent dans la tête de Gaspard et il a peur d'ouvrir cette porte, car il sait qu'une fois ouverte, sa vie basculera à jamais et pour toujours.

Après une profonde inspiration, il pousse enfin la porte.

Le silence règne dans la maison. Personne n'est là pour les accueillir. Gaspard est terriblement déçu. Il s'attendait à un comité d'accueil, à des cris de joie, à des embrassades, à ce que ses parents se jettent dans ses bras. Au lieu de cela, les deux frères découvrent une maison vide et silencieuse.

—Hou, hou! Il y a quelqu'un? crie Édouard.

Pas de réponse. Les garçons s'inquiètent. Où sont donc leurs parents et grands-parents? Sans parler de la fameuse petite sœur... Ils se mettent à leur recherche. Personne dans la cuisine. Personne dans le salon. Personne dans la salle de lecture non plus et aucun bruit ne provenant de l'étage. Ce n'est pas normal. Tout ce silence est désagréable.

Gaspard a un mauvais pressentiment : il est sans doute arrivé quelque chose de grave. Peut-être que l'avion s'est écrasé? Peut-être que papi a fait une nouvelle crise cardiaque? Son cœur s'emballe et sa gorge se noue. Plus il y pense, plus il est persuadé qu'une catastrophe s'est produite.

Soudain, Édouard s'écrie:

— Ils sont dans la cour! Regarde là-bas!

Sans attendre, il court rejoindre le petit groupe à l'extérieur. Gaspard soupire de soulagement en apercevant les quatre adultes assis sur le patio. Malgré ses doutes et ses inquiétudes, il est impatient de se blottir dans les bras de ses parents, de les sentir tout contre lui et d'entendre leurs voix. Ils lui ont tant manqué!

— Oh! Mes petits hommes! s'écrie maman en les serrant tous les deux si fort contre elle qu'ils manquent d'étouffer.

Que je suis heureuse de vous retrouver ! Laissez-moi voir comme vous êtes beaux, dit-elle en reculant pour les admirer pendant que ses fils reprennent leur souffle. Qu'est-ce que vous m'avez manqué, mes amours !

De nouveau, elle les enlace très fort, comme si elle craignait qu'ils ne s'en aillent.

— Laisse-les un peu respirer, ma chérie ! lance papa en les rejoignant. Tu vas finir par les étouffer avec tout cet amour. C'est incroyable ce que vous avez grandi en un mois, vous deux ! Vous êtes devenus de vrais hommes, ma foi !

Les baisers, les câlins et les mots doux fusent de toutes parts. Grands-parents, parents et enfants savourent

ces retrouvailles. C'est un moment de bonheur partagé. Gaspard aimerait que cela dure encore longtemps, tant il est heureux en cet instant.

Le charme est malheureusement subitement rompu. Édouard pose la question tant redoutée par Gaspard, celle qu'il souhaitait ne jamais entendre.

—Et Shanti, où est-elle ? demande-t-il en regardant partout autour de lui.

Gaspard voudrait pouvoir se boucher les oreilles. Ne pas entendre. Ne pas savoir. Faire comme si elle n'existait pas, comme si elle n'avait jamais existé.

—Elle dort à poings fermés dans notre chambre, répond papa. Le voyage a été extrêmement long et pénible pour elle, encore plus que pour nous.

—Oui. Elle a beaucoup pleuré et très peu dormi depuis hier, reprend maman. Sans compter qu'elle subit aussi les effets du décalage horaire. Peut-être qu'elle se réveillera avant que vous n'alliez vous coucher. Vous pourrez alors la rencontrer. Mais franchement, j'espère plutôt qu'elle va dormir jusqu'à demain matin.

Quelle bonne nouvelle pour Gaspard! Il va pouvoir profiter encore un peu de ses parents sans que Shanti ne vienne les déranger. Son bonheur est cependant de courte durée : voilà que maman leur propose d'aller jeter un œil sur leur petite sœur. Gaspard sent monter une vague de colère en lui. Il ne veut absolument pas la voir, celle-là, et il est fatigué d'entendre parler d'elle. Mais déjà, Édouard s'écrie joyeusement :

—Oh, oui! J'adorerais voir de quoi elle a l'air. Elle a dû beaucoup grandir depuis les dernières photos. On y va, maman?

—On y va, mon grand! répond-elle avec enthousiasme, mais ne fais pas de bruit, s'il te plaît, il ne faudrait surtout pas la réveiller. Tu viens, Gaspard? demande-t-elle en se tournant vers son fils aîné.

—Non merci, répond-il. Je préfère garder la surprise pour demain, quand elle sera réveillée, ment-il, même s'il n'a aucune envie de la voir se réveiller. Ni aujourd'hui, ni demain matin, ni jamais, d'ailleurs.

—Comme tu voudras, lui répond maman en montant l'escalier sur la pointe des pieds, main dans la main avec Édouard.

Gaspard court se réfugier dans sa chambre. Il ne veut surtout pas voir le visage émerveillé de son petit frère quand il sortira de la chambre des parents. Et il ne veut plus entendre parler de Shanti pour l'instant. Il préfère se plonger dans ses devoirs et ses leçons pour l'oublier.

Comme maman l'espérait, la soirée se passe sans que la petite ne se réveille. Gaspard peut donc amplement profiter de la présence de ses parents et de ses grands-parents. Gaspard savoure ce moment, car il sait trop bien que désormais il n'y en aura plus très souvent.

# Chapitre 3

# La fameuse Shanti

« Je n'ai pas besoin de faire de croix ce matin, se réjouit Gaspard en éteignant son réveille-matin. C'en est fini des croix, et pour toujours, maintenant que papa et maman sont de retour. »

Gaspard est heureux, il a le cœur à la fête. En deux temps trois mouvements, il s'habille, puis descend à la cuisine au pas de course.

Là, il s'arrête brusquement. Sa bonne humeur vient de s'envoler. Devant lui,

Édouard, ses parents et ses grands-parents sont assis autour de la table. Sur les genoux de maman se tient une petite fille à la chevelure noire en bataille.

En entendant les pas précipités de Gaspard, elle a tourné la tête dans sa direction. Elle plonge ses yeux sombres dans ceux de son frère, puis elle se met à pleurer à chaudes larmes en se cachant dans le cou de maman pour ne plus le voir. Maman la berce tendrement et lui présente son grand frère, mais Shanti continue de pleurer sans le regarder.

« Quel bel accueil ! songe Gaspard en lui-même. On dirait qu'elle sait déjà que je ne l'aime pas. C'est étrange, peut-être qu'elle le sent vraiment. »

—Viens, mon grand, entre, lui dit papa. Ne t'en fais pas, Shanti est comme ça avec tout le monde. Elle a peur des nouveaux visages et, ces derniers temps, on peut dire qu'elle en a vu beaucoup. Laisse-lui le temps de s'habituer au tien.

Gaspard s'assied en acquiesçant et se plonge immédiatement dans son bol de céréales. Il feint l'indifférence vis-à-vis de Shanti. Pourtant, il ne peut s'empêcher de l'observer en douce, du coin de l'œil.

Elle est plus grande qu'il s'y attendait. Sur les dernières photos de l'agence d'adoption, elle ressemblait encore à un bébé. Gaspard se dit que bien des mois ont passé depuis ces photos alors qu'il découvre une petite fillette de presque deux ans, maigrelette et méfiante. Par contre, il remarque que ses grands yeux noirs semblent aussi tristes que sur les photos. Sa chevelure charbon est tout ébouriffée et sa peau cuivrée est marquée de petits boutons et de cicatrices.

—Je trouve que Shanti te ressemble, Gaspard, déclare soudainement Édouard. Vous êtes tous les deux très bruns, même si elle est plus foncée que toi. On dirait vraiment que vous êtes frère et sœur. Pas comme moi, soupire-t-il tristement.

Comme la plupart des roux, Édouard a une peau claire parsemée de taches de rousseur et ses yeux sont verts. Maman dit qu'il ressemble à un vrai petit Irlandais, comme ses grands-parents maternels, tandis que Gaspard a plutôt hérité du sang italien de son papa.

—C'est vrai qu'elle te ressemble, approuve papa.

—Ah bon! Si vous le dites, dit Gaspard sans relever les yeux de son bol de céréales.

—On dirait que ça ne te fait pas plaisir, remarque maman, intriguée.

—Heu... non, non, bafouille-t-il. Ça m'est seulement égal, c'est tout. Bon, il faut qu'on se dépêche pour ne pas rater l'autobus, dit-il pour changer de sujet.

—Pas besoin! Papa nous amène à l'école ce matin, dit Édouard tout en chatouillant Shanti qui éclate de rire. Ils semblent déjà très complices.

Cette nouvelle ne réjouit pas Gaspard. Il n'a aucune envie de rester plus longtemps à la maison.

—Moi, je vais y aller en autobus, lance-t-il en se levant.

—Pourquoi ? s'étonne maman. D'habitude, tu es content quand papa vous amène à l'école.

—Oui, mais aujourd'hui, je dois réviser un devoir avec Antoine dans l'autobus, ment Gaspard pour quitter la maison rapidement.

—Mais il n'est même pas dans le même autobus que nous ! s'exclame Édouard, les sourcils froncés.

—Avec François, alors, rétorque Gaspard en lançant un regard noir à son petit frère. Je me suis simplement trompé de prénom.

Après avoir embrassé tout le monde, sauf Shanti qui s'est remise à pleurer en croisant son regard, Gaspard part prendre son autobus.

Arrivé à l'école, il est soulagé de constater qu'Antoine est absent. Comme ça, il ne sera pas obligé de répondre à toutes ses questions à propos de sa nouvelle sœur. Quelle chance !

Si la journée de la veille a passé bien trop lentement, celle d'aujourd'hui paraît défiler en accéléré. Gaspard ne voit pas le temps passer et c'est avec regret qu'il entend le son de la dernière cloche. Il va maintenant devoir rentrer à la maison et n'aura pas le choix de faire plus ample connaissance avec Shanti.

À son plus grand étonnement, Shanti dort quand Édouard et lui arrivent à la maison. Maman leur explique qu'avec le décalage horaire, elle est encore déboussolée dans ses heures de sommeil. « Tant mieux, songe Gaspard. Pourvu que ça dure ! »

— Où sont mamie et papi ? demande Édouard.

— Ils sont rentrés chez eux, répond papa. Ils sont ravis du mois passé avec vous et vous embrassent très fort.

— On ira sûrement les voir en fin de semaine, dit maman.

Gaspard accueille cette nouvelle avec bonne humeur. D'abord, il adore aller chez ses grands-parents, qui vivent dans une belle maison à la campagne. Mais surtout, la maison retrouve à présent un peu de normalité. La famille est réunie, et tant que Shanti dort, Gaspard peut faire semblant que rien n'a véritablement changé.

En se couchant ce soir-là, Gaspard se dit que, finalement, ce n'est pas si difficile d'avoir une nouvelle sœur. Elle ne prend pas autant de place dans sa vie qu'il le craignait. Il s'est probablement inquiété pour rien et s'endort le cœur léger.

# CHAPITRE 4

# Une semaine d'enfer

Des hurlements réveillent Gaspard au beau milieu de la nuit. « Que se passe-t-il ? » se demande-t-il, inquiet, en s'asseyant dans son lit.

Les cris redoublent d'ardeur, alors il se lève et sort de sa chambre pour connaître la cause de ce vacarme. Les cris proviennent de la chambre de ses parents. Comme la porte est ouverte et qu'il y a de la lumière, Gaspard s'approche en silence.

Il s'arrête sur le pas de la porte, stupéfait. Devant lui, Shanti est assise sur le grand lit de leurs parents. Elle a les yeux écarquillés mais son regard est vide, comme si elle ne voyait rien. Elle pleure et hurle à pleins poumons. Maman est assise à côté d'elle et lui chuchote doucement de gentilles paroles pour l'apaiser, mais dès qu'elle la touche, Shanti se met à crier de plus belle.

Gaspard est très impressionné. Il se demande ce qui arrive à Shanti. Elle est affolée et semble réellement souffrir le martyre.

— Qu'est-ce qu'elle a, Shanti ? demande-t-il à ses parents. Elle a mal quelque part ?

Papa lui explique qu'elle fait simplement une terreur nocturne. Ça ressemble à un cauchemar, sauf que Shanti dort encore ; malgré ses yeux ouverts, elle n'est pas réveillée et, contrairement à un cauchemar, elle ne se souviendra de rien demain matin. Papa dit que c'est une forme de somnambulisme, mais qu'au lieu de se promener dans la maison, la personne est prise de terreur et se met à hurler. C'est pour cela qu'on appelle ça une « terreur nocturne ».

Gaspard n'en revient pas ! Il n'arrive pas à croire que Shanti dort en ce moment même. Ses yeux sont pourtant rivés aux siens, mais son regard est étrange, comme si elle ne le voyait pas. Gaspard n'aime pas du tout ce regard ; il lui donne la chair de poule. Et tous ces hurlements le mettent mal à l'aise et lui glacent le sang.

—Va te recoucher, mon bonhomme, lui conseille papa, sinon tu seras fatigué en classe demain.

—Est-ce qu'elle va crier encore longtemps comme ça ? demande Gaspard. On ne peut pas faire quelque chose pour qu'elle arrête ?

—Malheureusement non, murmure maman. Il n'y a rien à faire sinon attendre que la crise passe. Ne t'en fais pas, elle finira par se recoucher. Tu sais, toi aussi tu nous as fait de sacrées terreurs nocturnes quand tu étais petit.

—Ah, bon ? s'étonne Gaspard.

—Oh oui, je m'en souviens très bien, ajoute papa. C'est un phénomène fréquent chez les petits. Heureusement, ça finit par passer. Bonne nuit, mon grand !

—Bonne nuit !

Gaspard tarde à s'endormir même s'il tombe de sommeil. Shanti crie toujours, ce qui l'empêche de fermer l'œil. Il se demande ce qui peut bien se produire dans sa tête quand elle est dans cet état. Ça l'intrigue. Il espère que Shanti n'aura pas d'autres crises.

* * *

Malheureusement pour Gaspard, les nuits se suivent et se ressemblent. Chaque soir, le même scénario se reproduit : Gaspard est tiré du sommeil par les cris de terreur de sa sœur. Il en a assez. Il aimerait que ses crises cessent pour pouvoir dormir normalement, d'un bout à l'autre de la nuit.

Si les deux premiers jours Gaspard trouvait que Shanti ne prenait pas autant de place dans sa vie qu'il le craignait, ce n'est plus le cas à présent. Même plus du tout. La vie de Gaspard a radicalement changé et tout est de la faute de cette satanée petite sœur.

À cause de ces fameuses crises nocturnes, Gaspard dort mal et se sent de plus en plus fatigué. Il jalouse Édouard qui dort d'un sommeil de plomb et ignore tout des crises de Shanti.

De plus, sa petite sœur se montre toujours aussi méfiante à son égard. Soit elle pleure, soit elle court se réfugier dans les bras de maman quand Gaspard est dans la même pièce qu'elle. C'est comme si elle ne voulait pas le voir ou qu'elle avait peur de lui.

Bien qu'il continue de jouer l'indifférent, Gaspard est chagriné par le comportement de Shanti. Quand il la regarde s'amuser et rire avec Édouard, il ressent des petits pincements de jalousie au cœur. Il fait semblant que cela lui est égal, mais en vérité, cela le désole.

En plus, il ne peut pas en parler à maman, car elle n'est plus du tout disponible pour lui. Il n'y a plus moyen de lui parler seul à seul : Shanti est toujours collée à elle. On dirait qu'elles sont inséparables, que l'une est devenue l'ombre de l'autre. Gaspard comprend que Shanti a besoin de maman, sauf que lui aussi a besoin d'elle. C'est *sa* maman aussi, non ?

Le seul moment de la journée où il se retrouve seul avec maman, c'est le soir, quand elle vient le border. Gaspard voudrait alors pouvoir arrêter le temps pour que ces instants passés ensemble durent très longtemps. Mais presque chaque fois, maman est réclamée par Shanti ou par Édouard, et le court moment de bonheur de Gaspard est rompu.

Quant à papa, il n'a pas beaucoup plus de temps à lui accorder, lui non plus. Du moins, pas suffisamment au goût de Gaspard. Depuis son retour, ils n'ont pas encore joué une seule partie de soccer ensemble ni bricolé comme à leur habitude. Pourtant, Gaspard le lui propose régulièrement, mais papa n'a jamais le temps : il doit faire le souper, ou la lessive, ou le ménage, ou donner le bain à Shanti ou aller faire les courses. Bref, il a toujours une bonne excuse pour ne pas jouer avec lui.

Le pire, c'est qu'Édouard aussi s'est éloigné de Gaspard. Depuis que Shanti est là, il n'a d'yeux que pour elle. Il passe son temps à lui inventer des jeux, à lui raconter des histoires et à la câliner. Quand Gaspard l'invite à jouer avec lui, Édouard lui répond invariablement qu'il est occupé avec leur petite sœur.

Chaque jour qui passe, Gaspard se sent donc un peu plus seul, un peu plus abandonné. Toute sa famille le délaisse. Il a l'impression que tout le monde préfère être en compagnie de Shanti plutôt qu'être avec lui.

Il était mieux avec papi et mamie, finalement. Eux, au moins, prenaient le temps de jouer avec lui et s'intéressaient à ses journées. Gaspard n'en revient pas de regretter le temps où papi et mamie vivaient à la maison.

— Peut-être que je devrais aller vivre avec mamie et papi ? dit-il à Nono, un soir. Personne ne s'intéresse plus à moi ici, à part toi bien sûr ! C'est comme si je n'existais plus. On dirait que Shanti a pris ma place dans la famille. D'ailleurs, elle prend toute la place. Même si elle est la plus petite, c'est elle qui prend le plus de place. Alors, c'est décidé, je vais déménager chez papi et mamie. Je suis sûr qu'ils accepteront de m'accueillir. De toute manière, je sais bien que personne ne me regrettera ici.

\* \* \*

Gaspard est bien décidé à partir, et au plus vite. Il prend un gros sac de voyage et y empile en vitesse quelques vêtements, des livres et, bien entendu, son vieux Nono. Son regard se pose alors sur les photos épinglées sur son mur : des photos de lui avec ses amis, d'Édouard et lui, et plusieurs photos de famille prises en voyage. Gaspard soupire en regardant ces dernières. Il se dit qu'ils étaient si heureux alors, quand ils n'étaient que quatre, avant que cette Shanti de malheur ne débarque. Pour ne jamais oublier les merveilleux moments de cette vie passée, il décroche deux photos pour les emporter avec lui : une d'Édouard et lui déguisés en ninja et une de tous les quatre, sur une plage du Mexique.

Avec un pincement au cœur, Gaspard referme la porte de sa chambre, puis descend retrouver ses parents. S'armant de courage, il leur annonce qu'il part vivre chez ses grands-parents.

Ses parents restent bouche bée devant cette nouvelle. Ils le regardent, abasourdis, sans dire un mot, comme s'ils avaient perdu leur langue. Une longue minute passe, puis une autre, sans qu'aucun des deux ne prenne la parole.

Pour Gaspard, cela confirme que ses parents ne l'aiment plus. Ils auraient dû crier, protester, se fâcher contre lui ou même pleurer. Mais non, ils restent simplement plantés là, muets comme des carpes.

— Mais voyons, mon grand, finit par dire papa. Il est hors de question que nous te laissions partir. Tu ne peux pas t'en aller comme ça

— Et pourquoi veux-tu partir, Gaspard? demande maman toujours aussi abasourdie. J'aimerais bien comprendre.

— Ben, heu... pour changer de famille, bégaie Gaspard, sans oser regarder ses parents, car il se sent tout petit dans ses souliers.

— Mais pourquoi? demande papa avec insistance. Il doit bien y avoir une raison. Que s'est-il passé pour que tu nous rejettes?

— Premièrement, c'est vous qui me rejetez et pas le contraire, répond Gaspard avec agressivité. Depuis que Shanti est arrivée, il n'y a plus de place pour moi: ni dans votre vie, ni dans la famille, ni même dans votre cœur.

Vous n'avez pas besoin de le nier, je le sens très bien.

—Mais non, mon Gaspard! s'écrie maman, bouleversée par les paroles de son fils. Tu es et tu resteras toujours notre grand garçon, notre premier enfant, notre petit prince à nous. Tu es le grand frère de la famille. Pour Édouard et pour Shanti aussi. Nous vous aimons tous les trois autant.

—Eh bien, on ne dirait pas, répond Gaspard en tentant de retenir ses larmes. C'est comme s'il n'y avait plus que Shanti pour vous. Tout tourne autour d'elle, maintenant. Il n'y en a que pour elle. Oh, bien sûr, vous aimez encore Édouard puisqu'il est toujours aux petits oignons avec elle. Et moi, alors? s'emporte Gaspard en montant sur ses grands chevaux. Vous faites tous comme si je n'existais plus. Personne ne veut jouer avec moi, personne ne veut passer du temps rien qu'avec moi et personne ne se rend compte que cela me fait beaucoup de peine. Vous vous fichez tous de moi. Vous préférez avoir une petite sœur dans la famille plutôt qu'un grand frère. Voilà pourquoi je pars vivre chez papi et mamie, et pour toujours !

Maman secoue la tête de droite à gauche, perplexe, comme si elle refusait de croire ce qu'elle entend. Quant à papa, il n'arrête pas de soupirer profondément. Tous les deux ont l'air d'être vraiment désolés des propos de leur fils aîné.

Gaspard est soulagé d'avoir vidé son sac ; il a enfin réussi à dire ce qu'il avait sur le cœur. Mais en même temps, la tristesse qu'il lit sur le visage de ses parents le fait se sentir coupable. Il s'en veut de leur causer tant de peine. À présent, il ne doute plus qu'ils l'aiment, sinon ils ne seraient pas aussi tristes en ce moment, c'est certain.

Après un long silence, papa prend enfin la parole.

— Voilà ce que je te propose, Gaspard, dit-il. Tu pourras aller passer la fin de semaine chez papi et mamie. Je t'emmènerai là-bas demain après l'école et, dimanche soir, comme ils viennent de toute façon souper ici, ils pourront te ramener par la même occasion. Je pense que cela te fera du bien de te retrouver un peu seul et d'avoir tes grands-parents rien que pour toi. Qu'en dis-tu, mon grand ?

Gaspard réfléchit. Au fond, il ne souhaite pas réellement déménager là-bas pour toujours. Maintenant qu'il a réussi à dire à ses parents comment il se sent, son urgence de partir l'a quitté. À vrai dire, il préfère aller passer deux nuits chez ses grands-parents plutôt que toute sa vie.

— C'est d'accord, approuve Gaspard.

— Parfait, mais j'aimerais bien qu'on parle un peu plus de ce que tu viens de nous dire, mon petit homme, dit maman, en lui faisant signe de venir s'asseoir à ses côtés. Tu as entièrement raison, nous passons beaucoup de temps à nous occuper de Shanti, papa et moi, mais tu dois comprendre que cette situation est normale et temporaire. Ce ne sera pas toujours comme ça. Pense un peu à tout ce qu'a vécu

Shanti ces derniers temps, sa vie n'arrête pas d'être bouleversée. Il y a un mois, elle vivait à l'orphelinat où elle a toujours vécu. Puis, du jour au lendemain, elle s'est retrouvée avec ton père et moi, deux parfaits inconnus, à vivre dans une chambre d'hôtel. Tout un changement! Ensuite, comme tu le sais, elle est tombée gravement malade à cause du paludisme[1] et a passé plusieurs jours à l'hôpital avant de pouvoir revenir à l'hôtel avec nous. Et maintenant, la voilà parachutée à l'autre bout du monde, dans un environnement

---

1. Le paludisme, aussi appelé malaria, est une maladie très fréquente dans les pays chauds et humides qui est transmise par une piqûre de certains moustiques. La personne atteinte a beaucoup de fièvre, des frissons, des nausées, des maux de tête, etc. Généralement, cette maladie se soigne bien si elle est détectée à temps, mais dans de nombreuses régions où les gens n'ont pas accès à la médecine, elle peut être très dangereuse et même causer la mort.

totalement différent du sien, avec deux nouveaux grands frères. Te rends-tu compte de tous les bouleversements que cette petite vit?

Gaspard est honteux. Il n'a pas vraiment réfléchi à tout ça. Jamais il ne s'est imaginé ce que Shanti pouvait vivre. Centré sur sa propre douleur et sur les bouleversements de sa vie à lui, il n'a pas pris la peine de se mettre dans les souliers de Shanti. Comme il se sent coupable à présent d'avoir été aussi égoïste! Il se fait la promesse que dorénavant Shanti pourra compter sur lui et qu'il deviendra le meilleur des grands frères pour elle.

# CHAPITRE 5

# Peine perdue

Gaspard revient ragaillardi de sa fin de semaine chez ses grands-parents. Ces deux jours en solitaire là-bas lui ont fait le plus grand bien. Comme à son habitude, mamie a voulu que Gaspard lui parle de ce qu'il vivait. Et pour une fois, Gaspard s'est confié à elle de bon cœur. Il lui a expliqué comment il se sentait depuis la venue de Shanti, comment il s'est senti rejeté des siens. Il n'a pas caché qu'il avait maintenant honte de son comportement et qu'il était prêt à changer.

Mamie lui a alors raconté comment sa maman à lui avait réagi à l'arrivée de sa propre sœur, il y a de cela bien des années. Maman avait trois ans et demi quand Nathalie, sa petite sœur, est née et elle se réjouissait depuis des mois de devenir une grande sœur. Les premiers temps, après la naissance de Nathalie, sa maman était une vraie petite mère pour sa sœur. Elle lui donnait le biberon, l'embrassait et la cajolait sans cesse. Quand Nathalie pleurait, elle la berçait. Quand Nathalie dormait, elle la regardait dormir durant de longues minutes.

Tout allait à merveille, jusqu'au jour où elle a regardé sa mère dans les yeux et lui a demandé :

—Maman, je ne veux plus de Nathalie. Est-ce qu'on pourrait la mettre à la poubelle ou la donner à quelqu'un d'autre? a-t-elle dit le plus sérieusement du monde.

Évidemment, mamie a refusé en lui expliquant que Nathalie resterait sa petite sœur pour toute la vie. Maman a alors essayé par tous les moyens de faire payer à Nathalie sa venue au monde. Dès que mamie avait le dos tourné, elle la mordait, la pinçait ou la tapait. Elle a même tenté de l'échanger à sa voisine Simone contre une jolie poupée, mais la maman de Simone a bien sûr refusé. Bref, Mamie ne pouvait plus s'éloigner de Nathalie de peur que sa grande sœur ne lui fasse encore un mauvais coup.

Cette situation avait duré un certain temps. Mamie et papi étaient toujours aux aguets, se méfiant de ce que leur fille aînée allait encore inventer pour attirer l'attention. Après quelques semaines plutôt pénibles, maman a fini par accepter le fait que Nathalie ne s'en irait pas et qu'elle serait dans sa vie pour toujours.

— À partir de ce moment-là, a raconté mamie, ta mère et Nathalie sont devenues inséparables. Et tu vois, aujourd'hui encore, elles sont très proches l'une de l'autre.

Gaspard a bien ri en entendant cette histoire. Dire que maman a voulu jeter sa sœur à la poubelle ! Elle était bonne, celle-là !

* * *

À son retour à la maison, c'est donc avec une attitude complètement différente qu'il entreprend cette nouvelle semaine avec Shanti. Pour se faire pardonner, le lundi matin, il prépare même le déjeuner pour toute la famille.

Toutefois, quand Shanti voit Gaspard s'approcher d'elle pour lui donner une tartine, elle se met à hurler et fond en larmes. Gaspard soupire, plutôt déçu par cet accueil.

— Ne t'en fais pas, tente de le rassurer maman. Shanti ne t'a pas vu de tout le week-end et voilà que tu ressurgis. En plus, ajoute-t-elle avec un sourire taquin, pour une fois, tu es gentil avec elle. Elle n'est pas habituée à ça de ta part !

Gaspard sourit à son tour. Shanti finira bien par s'habituer à lui. Ce n'est qu'une question de jours ; du moins, l'espère-t-il.

Malheureusement pour Gaspard, les jours, puis les semaines, passent, mais toutes ses tentatives de faire sourire sa petite sœur échouent systématiquement.

Pauvre Gaspard ! Il commence à désespérer. Il a beau faire des efforts pour être gentil, attentif et délicat avec elle, c'est toujours la même histoire : Shanti pleure encore et encore quand son grand frère lui démontre de l'attention.

— Je crois bien que Shanti ne m'aime pas, confie un jour Gaspard à sa maman. Je ne sais plus quoi inventer pour qu'elle ne pleure pas quand elle est avec moi.

—Je sais que ce n'est pas facile pour toi, mon grand, mais ne désespère surtout pas, tes efforts finiront par porter des fruits. Te souviens-tu du livre *Le Petit Prince*?

—Oui, bien sûr, répond Gaspard, qui adore cette histoire. C'est Antoine de Saint-Exupéry qui l'a écrit.

—Exactement. Te souviens-tu de ce que le renard conseillait au Petit Prince?

—Heu, attends que je réfléchisse, répond Gaspard en fouillant dans sa mémoire. Je crois qu'il lui disait qu'il devait l'apprivoiser.

—Quelle bonne mémoire tu as! le félicite maman. En effet, le renard explique au Petit Prince que, pour être amis, ils doivent d'abord s'apprivoiser l'un l'autre et que, pour s'apprivoiser, il faut se laisser du temps. Eh bien, c'est la même chose avec ta petite sœur. Laisse-lui le temps de se faire apprivoiser.

— Je veux bien, mais est-ce que ça va être encore long ? demande Gaspard. À force de la voir toujours pleurer, je commence à me décourager.

— Je te comprends, mon grand, mais s'il te plaît, ne te décourage pas. Oui, ça peut être long. Je suis toutefois certaine que tu finiras par conquérir le cœur de ta petite sœur. Je n'ai aucun doute là-dessus.

Gaspard aimerait tant croire sa maman. Sa patience est pourtant mise à rude épreuve. Chaque jour, il invente de nouvelles stratégies pour amadouer Shanti, mais chaque fois, ses tentatives échouent. Il a l'impression d'avoir tout essayé, vraiment tout. Avec ses économies, il lui a même acheté une jolie poupée qui parle. Mais quand, rempli de fierté, il la lui a offerte, Shanti s'est une fois de plus mise à hurler et a jeté la poupée loin d'elle.

C'en est trop pour Gaspard. C'est la goutte qui fait déborder le vase, comme dirait papa. Il a beau être patient, il y a des limites à se faire tout le temps rejeter de la sorte. Alors, un matin, il prend la décision de ne plus s'intéresser à Shanti. Il a suffisamment fait preuve de bonne volonté, a tenté par divers moyens de l'apprivoiser et a été plus que patient. À présent, il ne veut plus faire d'efforts, car il sait que, de toute manière, cela ne servira à rien.

« Si Shanti ne veut pas se laisser apprivoiser, alors tant pis pour elle, se dit-il mi-déçu, mi-fâché. J'ai fini de perdre mon temps avec elle. J'ai fait ma part. C'est à son tour maintenant de faire des efforts. Moi, j'abandonne la partie. »

# CHAPITRE 6

# La véritable histoire de Shanti

Depuis que Gaspard a décidé de se désintéresser de sa petite sœur, celle-ci pleure de moins en moins souvent en sa présence. Parfois, on dirait même qu'elle lui sourit, mais pour Gaspard, il est trop tard. Il n'a plus aucune envie de chercher à l'apprivoiser. Au contraire, il recommence à l'ignorer.

Étrangement, cette tactique sem- ble avoir l'effet contraire. Shanti commence même à montrer de l'intérêt pour Gaspard. Elle le regarde souvent, curieuse de ce qu'il fait. Parfois, elle va même jusqu'à s'asseoir à ses côtés et reste plantée là, en silence, ses yeux noirs rivés sur son grand frère.

Gaspard continue de jouer l'indifférent. Même si au fond de son cœur il est heureux que Shanti s'intéresse à lui avec curiosité, il ne veut pas se l'avouer, alors il blinde son cœur d'une carapace pour ne pas se laisser attendrir. Après tous les efforts qu'il a mis à vouloir l'apprivoiser et toutes les défaites qu'il a essuyées, il n'est pas prêt à pardonner à sa petite sœur toute la peine et les dérangements qu'elle lui cause depuis son arrivée.

Pourtant, chaque jour, Shanti tente de se rapprocher de ce grand frère inaccessible. Et un jour, alors qu'Édouard et Gaspard rentrent de l'école, Shanti court les accueillir en criant :

— *Doua ! Gaspa ! Doua ! Gaspa !*

C'est la première fois que Shanti parle. Enfin, qu'elle parle en français, car quand elle parle, ce qui est plutôt rare, elle le fait toujours en hindi.

— Vous rendez-vous compte, les garçons ? lance maman, émue de bonheur. Votre sœur vous a appelés par vos prénoms !

— Oui ! C'est incroyable ! s'exclame Édouard en soulevant sa sœur et en la faisant tournoyer, dans de grands éclats de rire. Bravo, Shanti !

Puis, il la repose délicatement par terre après l'avoir embrassée. Tout étourdie d'avoir tant tourné, elle s'accroche à la jambe de Gaspard pour ne pas perdre l'équilibre. Gaspard est sidéré. C'est bien la première fois que Shanti le touche sans pleurer. Il n'ose pas bouger. Il n'ose pas non plus la regarder, de peur qu'elle n'éclate en sanglots. Alors, il reste là, bras ballants, à regarder au loin et ne voit donc pas Shanti lui tendre les bras en souriant à pleines dents.

—Dis donc, Gaspard, je crois bien que ta sœur aimerait être dans tes bras, lui dit maman, ravie.

—Ah, bon ? répond Gaspard d'un ton neutre. C'est dommage parce que j'ai mal au dos, ment-il, alors qu'il meurt d'envie de serrer enfin Shanti dans ses bras.

Trop orgueilleux, Gaspard s'éloigne pour ne pas laisser paraître les sentiments qui se mêlent en lui. S'il est heureux, fier et même soulagé que Shanti finisse par faire les premiers pas vers lui, il lui en veut encore de l'avoir si souvent repoussé et d'avoir tant bouleversé sa vie.

—Gaspard, lui dit maman, il faut qu'on se parle tous les deux. Édouard, pourrais-tu aller jouer avec Shanti, s'il te plaît?

Gaspard regarde Shanti et Édouard s'éloigner main dans la main. Il pousse un profond soupir, car il sait très bien que maman va lui faire la morale. Elle va sans aucun doute lui dire que son comportement avec sa petite sœur est inadmissible, qu'il faut qu'il fasse preuve de bonne volonté, qu'il fait preuve d'égoïsme et joue à l'enfant gâté, etc.

À sa grande surprise toutefois, maman ne lui fait aucun reproche. Elle souhaite simplement lui parler de la vie de Shanti avant son adoption.

Même si Gaspard joue l'indifférent, il est curieux de savoir d'où vient sa petite sœur. Bien sûr, il sait déjà qu'elle est née en Inde et qu'elle vivait dans un orphelinat avant d'arriver dans sa famille, mais il n'en sait pas plus.

— Il faut que tu saches, Gaspard, que la vie des petites filles en Inde n'est pas facile, comme dans bien d'autres pays malheureusement, commence maman. Là-bas, la naissance d'une fille est rarement une bonne nouvelle. Si les parents sont toujours extrêmement fiers d'avoir un garçon, la plupart ont honte quand une femme donne naissance à une fille.

— Mais c'est injuste, s'indigne Gaspard. Ce n'est pas elle qui choisit d'avoir un garçon ou une fille.

— Tu as entièrement raison, mon grand, mais la tradition est très forte. Le problème en Inde, et ailleurs dans le monde aussi, c'est qu'il existe un système de dot.

— Qu'est-ce que c'est, le dot? demande Gaspard, intrigué.

— On dit *la* dot, mon chéri. En Inde, lorsqu'un homme épouse une femme, la famille de la femme doit offrir une dot à la famille du marié, c'est-à-dire des cadeaux.

Ça peut être un réfrigérateur, un télévi-seur, une voiture ou même une maison, beaucoup de bijoux et d'argent.

— Pourquoi est-ce que c'est la famille de la femme qui donne la dot et pas le contraire ? demande Gaspard, étonné.

— Dans certaines régions du monde, en Afrique par exemple, c'est effective-ment le contraire : la famille du marié offre une dot à la famille de la mariée. En Inde, on dit que c'est à la famille de la mariée de l'offrir, même si elle doit en plus quitter ses parents pour aller vivre avec la famille de son époux et s'occu-per de sa belle-famille. C'est une très vieille tradition. Tu me suis ?

— Oui. Est-ce qu'ici aussi, quand on se marie, il y a une dot ?

—Pas vraiment, répond maman. Avant, la femme accumulait un trousseau en vue de son mariage, c'est-à-dire des vêtements pour elle et pour un futur bébé, de la vaisselle, des meubles. Aujourd'hui, on peut dire que le trousseau a été remplacé par la liste de cadeaux de mariage que font les mariés. Les familles et leurs amis leur offrent ces cadeaux.

—Mais quel est le rapport avec Shanti, maman ?

—Eh bien, en Inde, à cause du système de dot, entre autres, les familles préfèrent avoir des garçons, surtout dans les familles pauvres, car elles doivent très souvent s'endetter pour la dot de leur fille.

—Ça veut dire quoi, s'endetter ?

—Ça signifie qu'elles doivent emprunter de l'argent et donc s'appauvrir encore plus. Alors, quand une petite fille naît, de nombreux parents préfèrent l'abandonner plutôt que de devoir payer une dot plus tard, surtout s'ils ont déjà d'autres filles.

—Mais c'est horrible! s'exclame Gaspard.

—Oui, c'est une véritable tragédie. C'est d'ailleurs la raison pour laquelle ton père et moi voulions adopter une petite Indienne: parce que nous voulions un troisième enfant et parce que cette situation nous touche et nous attriste.

— Je vous comprends. Moi aussi, je trouve ça triste et vraiment injuste. Les pauvres petites filles! Ça devrait être interdit, la dot, s'indigne encore Gaspard.

— Le pire, mon grand, c'est que le système de dot a été interdit en Inde depuis plusieurs dizaines d'années, mais c'est une coutume que les gens continuent à pratiquer, car il n'est pas facile d'arrêter les vieilles traditions.

Gaspard est sidéré de ce que maman vient de lui apprendre. Il est choqué que des petites filles soient ainsi abandonnées par leurs propres parents.

— Ta petite sœur a eu la chance d'échapper à son triste sort, Gaspard, reprend maman en le regardant droit dans les yeux. La mère biologique de Shanti, celle qui l'a portée dans son ventre, aurait simplement pu l'abandonner dans son village, comme tout le monde le lui conseillait. Pourtant, envers et contre tous, elle a préféré se rendre jusqu'à l'orphelinat, avec l'espoir que sa petite Shanti serait peut-être adoptée par une famille aimante qui prendrait bien soin d'elle. Pour ce faire, elle a dû marcher pendant trois longues journées sous un soleil de plomb, alors qu'elle venait à peine d'accoucher. J'espère que tu réalises le courage dont a fait preuve cette femme. Je voulais que tu connaisses la véritable histoire de Shanti pour que tu comprennes que ta sœur est une survivante et que nous devons tout faire pour qu'elle ait la meilleure vie possible. C'est ce que sa mère biologique souhaitait pour elle en l'abandonnant à l'orphelinat.

Gaspard acquiesce d'un mouvement de tête. Il a le cœur gros. L'histoire de Shanti le bouleverse et il est triste. Des larmes coulent le long de ses joues sans qu'il ne cherche à les retenir.

—Je m'excuse, maman, dit-il entre deux sanglots. Je ne savais pas. Je ne voulais pas être aussi méchant. C'est juste que... que...

—Ça va, mon grand, chuchote maman en caressant doucement ses joues baignées de larmes. Tu ne pouvais pas savoir. Je sais bien qu'il est difficile d'avoir une nouvelle sœur du jour au lendemain. Apprendre à partager ses parents n'est pas facile.

—Oui, mais Édouard n'a pas eu de problème à le faire, gémit Gaspard en reniflant. Dès que Shanti est arrivée, il l'a tout de suite aimée. Il lui a fait une place dans son cœur alors que moi je lui en voulais trop pour la laisser entrer dans ma vie. J'ai tellement honte de moi, maman ! Si tu savais comme je m'en veux, dit-il en recommençant à pleurer de plus belle.

—C'est tout à fait normal, mon chéri, le rassure maman. Édouard rêvait depuis longtemps d'être lui aussi un grand frère, comme toi, alors que toi, tu n'en ressentais pas le besoin. Nous t'avons imposé notre choix, et à mon tour, je m'en excuse, Gaspard.

—Mais non, maman ! Tu n'as pas à t'excuser. Vous avez bien fait, lui dit-il en passant ses bras autour de son cou et en la serrant très fort. Shanti a beaucoup de chance de vous avoir comme parents et moi aussi !

— Et elle a beaucoup de chance d'avoir un grand frère aussi sensible que toi, même si parfois, tu te caches derrière une grosse carapace, lui dit maman en rigolant.

— À partir de maintenant, tu peux compter sur moi, dit Gaspard solennellement. Je te promets de veiller sur Shanti et de faire en sorte que sa vie soit un véritable conte de fées, comme sa vraie maman le souhaitait.

* * *

Chose promise, chose due. Avec beaucoup de patience et de persévérance,

Gaspard a réussi à se rapprocher de Shanti, à l'apprivoiser. En fait, ils se sont apprivoisés mutuellement. Au fil des jours, une véritable complicité s'est installée entre eux.

Ils passent désormais beaucoup de temps ensemble. Si Shanti continue de jouer avec Édouard, elle réclame souvent que Gaspard se joigne à eux. Généralement, il accepte de bon cœur, et tous les trois s'inventent toutes sortes d'histoires de chevaliers et de princesses, ou de pirates sauvant une petite fille. Mais ce que Gaspard préfère faire avec Shanti, c'est de lui lire des histoires, bien confortablement installés dans son lit.

Gaspard s'est rendu compte qu'il était tout bonnement jaloux de Shanti et qu'il avait peur que ses parents ne l'aiment plus autant qu'avant. Ses craintes se sont cependant rapidement envolées après sa longue discussion avec maman. Il sait à présent que ses parents l'aimeront toujours, malgré la présence de Shanti, tout comme ils ont continué à l'aimer après la naissance d'Édouard.

Gaspard a donc fait une place pour Shanti dans son cœur; une place qui grandit de jour en jour au point où, à présent, il n'imagine carrément plus sa vie sans Shanti.

« C'est drôle quand même, songe Gaspard, un soir, avant de s'endormir. Ma petite sœur, je l'ai longtemps espérée. Quand elle est enfin arrivée, je ne voulais plus d'elle et l'ai rejetée. Me sentant un peu coupable, j'ai cherché à l'apprivoiser, mais je me suis vite découragé. Je ne lui ai même pas laissé le temps d'apprendre à me connaître à son rythme. Qu'est-ce que j'ai été bête, quand même! Heureusement que j'ai fini par comprendre que mes parents ne m'aimeraient pas moins à cause de l'arrivée de ma petite sœur. Aujourd'hui, je peux dire que jamais je ne la laisserai repartir, ma petite Shanti, ma sœurette d'amour. Je suis si heureux et chanceux de l'avoir!»

# CHAPITRE 7

# Un devoir
# qui tombe à pic

Un jour, Gaspard rentre de l'école, surexcité. Madame Sophie, son enseignante, a donné un devoir dans lequel il se réjouit de se plonger. Il devra faire une présentation orale sur quelqu'un ou quelque chose qui compte énormément pour lui. Sans hésitation, Gaspard a immédiatement su qui il souhaitait présenter à ses camarades de classe : sa petite sœur, Shanti, bien évidemment !

Bien qu'il ait une semaine entière pour se préparer, Gaspard se met tout de suite à la tâche. Il a tant de choses à dire au sujet de Shanti ! Les idées se bousculent dans sa tête et sa main ne va pas assez vite à son goût pour tout noter. C'est comme si son cerveau était en ébullition.

La semaine se passe donc pour Gaspard dans la préparation de son exposé oral. Lui qui a toujours détesté parler en public est pourtant impatient de le faire, cette fois-ci. Il souhaite partager avec ses amis son nouveau bonheur d'être le frère de Shanti. Il tient à leur raconter comment il a trouvé difficile de l'accepter au début et comment il a mal réagi à son arrivée. Il tient aussi à leur faire connaître le long parcours effectué pour qu'ils s'apprivoisent, Shanti et lui, afin qu'ils comprennent son bonheur et sa fierté d'avoir une aussi merveilleuse petite sœur. Puis, il veut aussi que ses amis soient au courant du destin tragique qui attend de trop nombreuses petites filles en Inde. Il veut qu'ils saisissent bien pourquoi ses parents ont adopté une petite Indienne.

* * *

Le grand jour de la présentation arrive enfin. Gaspard est tout énervé. Il connaît son texte par cœur et a d'ailleurs l'impression d'avoir passé toute la nuit à le réciter. Pour la première fois de sa vie, il ne ressent aucun stress à l'idée de parler devant toute la classe, mais une excitation intense.

Pour l'occasion, il enfile le beau costume que ses parents lui ont ramené d'Inde. Il s'agit d'une longue tunique beige brodée de fils d'or qui lui arrive aux genoux et d'un pantalon d'un ton plus clair. Pour vraiment ressembler à un Indien, il se fait même un point rouge entre les deux yeux, avec le rouge à lèvres de sa maman. Après s'être longuement contemplé dans le miroir, il descend rejoindre sa famille pour le déjeuner.

—Oh! Comme tu es beau, Gaspard! s'exclame Édouard.

—Oui, tu es vraiment splendide vêtu de la sorte, acquiesce papa en faisant tourner Gaspard sur lui-même pour mieux l'admirer. Tu as sacrément fière allure.

— Un vrai petit Indien, ajoute maman.

— Comme ça, tu ressembles encore plus à Shanti que d'habitude, reprend Édouard, émerveillé.

— Merci, répond Gaspard en bombant le torse de fierté devant tous ces compliments. Au fait, maman, pourrais-tu habiller Shanti avec un de ses costumes traditionnels ? J'aimerais qu'elle éblouisse mes amis et mon enseignante. Tu veux bien ?

— Mais bien sûr, mon grand ! C'est une excellente idée. Prends le temps de manger pendant que je vais préparer ta sœur. Ensuite, je vous emmènerai à l'école tous les trois.

Gaspard n'a pas beaucoup d'appétit ce matin tant il est fébrile, mais papa l'oblige tout de même à avaler un petit bol de céréales pour avoir des forces. Puis, il finit de se préparer en attendant impatiemment sa sœur.

Son cœur bondit de fierté quand il la voit apparaître dans les bras de sa mère. Shanti est tout simplement magnifique. Maman lui a mis un superbe sari de couleur fuchsia tissé de fils argentés et l'a parée de bracelets en argent aux poignets et aux chevilles. Un petit bindi[2] blanc en forme de goutte décore son front et, pour une fois, la chevelure rebelle de Shanti est soigneusement coiffée en une jolie tresse.

---

2. Aussi appelé *tilak* ou *tika*, le bindi est un petit auto-collant que les femmes hindoues posent sur leur front, entre les deux yeux.

—Elle ressemble à une princesse, lance Édouard. Je suis jaloux. Moi aussi, j'aurais aimé me déguiser, ajoute-t-il, un peu déçu.

—Une prochaine fois, on se déguisera tous les trois, si tu veux, lui propose Gaspard. Bon, on y va, maman? Je ne voudrais surtout pas arriver en retard.

—En route, les enfants!

Le trajet de la maison à l'école passe à la vitesse de l'éclair. Gaspard a à peine le temps de répéter mentalement son exposé que les voilà déjà arrivés.

En le voyant traverser le préau de l'école accoutré de la sorte en compagnie de sa mère et de sa sœur, des grands de sixième année le taquinent gentiment.

—Ce n'est pas l'Halloween aujour-
d'hui, lui lance un grand blond en rigolant.

—Tu es trop drôle comme ça,
Gaspard! lui dit Marine, sa voisine.
Mais cela te va bien.

Gaspard fait semblant de ne pas les
entendre et continue son chemin sans
leur répondre. Il n'a aucune envie de
perdre la bonne humeur qui l'habite.
De toute façon, il se moque bien de
ce que peuvent penser les sixièmes. Il
espère seulement que ses camarades
de classe seront un peu plus discrets et
gentils dans leurs commentaires.

Question discrétion, cependant, c'est
plutôt raté. Quand ses amis l'aperçoivent,
ils se précipitent tous vers lui pour l'en-
tourer en s'exclamant qu'il est beau,

qu'il est magnifique, qu'il est superbe, etc. Gaspard se sent rougir de plaisir. « Quel bel accueil ! » se dit-il.

Par contre, Shanti, elle, n'apprécie pas vraiment toute cette attention. Les amis de Gaspard les encerclent en lui souriant. Certains la complimentent sur sa belle tenue, d'autres lui caressent les cheveux ou lui pincent gentiment une joue. D'autres encore lui font des grimaces pour la faire rire, mais Shanti ne trouve pas ça drôle du tout et n'aime pas qu'on la touche ainsi. Elle lâche bien vite la main de Gaspard pour aller se réfugier dans les bras de maman.

Heureusement, la cloche sonne le début des cours. Dans un véritable brouhaha, Gaspard et ses amis rejoignent leur salle de classe, suivis de

maman et Shanti, qui est encore accrochée au cou de sa mère.

Après avoir réclamé le silence et souhaité le bonjour à tout le monde, madame Sophie invite Gaspard à la rejoindre au tableau. Le cœur battant, les mains moites et le rouge aux joues, Gaspard s'avance devant l'assemblée silencieuse. Avant de commencer, il demande à Shanti si elle veut venir se joindre à lui au tableau, ce qu'elle accepte volontiers.

— Bonjour, commence Gaspard en se raclant la gorge. Aujourd'hui, je vais vous parler de ma petite sœur, Shanti, que voici. Shanti veut dire « paix » en sanskrit, une très ancienne langue de l'Inde qui n'est plus parlée aujourd'hui. Ma sœur aura bientôt deux ans, mais cela fait seulement quelques mois qu'elle est arrivée dans notre famille. Mes parents sont partis l'adopter en Inde, où elle est née, dans un petit village très pauvre. Sa naissance n'a pas été un heureux événement comme une naissance devrait l'être normalement. Vous savez pourquoi ? demande Gaspard à son auditoire attentif.

— Non, répondent plusieurs.

— Parce qu'elle avait une maladie ? tente Antoine.

— Parce qu'elle était vraiment trop laide ? lance à la blague Léo, le boute-en-train de la classe.

— Peut-être qu'en Inde il ne faut pas montrer sa joie quand un bébé naît ? suggère Isabelle.

— Non, aucune de ces réponses n'est la bonne, reprend Gaspard, bien fier. Si elle avait été un garçon, ses parents auraient été enchantés et auraient fêté sa naissance, mais comme elle est une fille, ses parents ne voulaient pas d'elle, alors, ils...

— Mais pourquoi ? le coupe Léa, outrée.

— Parce qu'un jour, elle deviendra grande et se mariera, explique Gaspard. En Inde, quand une fille se marie, ses parents doivent offrir beaucoup de cadeaux aux parents du marié. C'est ce qu'on appelle la dot.

Gaspard se lance dans de longues explications sur le système de dot et ses désastreuses conséquences. Ses camarades sont perplexes et l'écoutent attentivement, l'interrompant seulement pour poser une ou deux questions.

Gaspard enchaîne ensuite sur sa propre expérience de voir débarquer une petite étrangère dans sa famille. Il raconte la longue attente des démarches d'adoption et tous les mois passés à espérer que ses parents partent enfin chercher la petite Shanti qui les attendait en Inde. Il fait bien rire ses amis en leur racontant qu'au retour de ses parents, il avait brusquement perdu toute envie de rencontrer la fameuse petite sœur. Alors que Shanti était finalement arrivée à la maison, il n'en voulait plus et s'était fabriqué une épaisse carapace pour ne pas se laisser attendrir par elle.

—Mais pourquoi ? lui demande Antoine, qui n'avait jamais eu de réponse à cette question, la première fois qu'il l'avait posée à Gaspard.

—Parce que j'avais peur. Tout simplement peur, répondit Gaspard un peu mal à l'aise en se tortillant les mains.

—Peur ? Mais peur de quoi, au juste ? demande à son tour Léo. Peur qu'elle ne t'ensorcèle avec ses beaux grands yeux noirs ? Ou peut-être avais-tu peur de tomber amoureux d'elle ? ajoute-t-il en faisant rire toute l'assemblée, comme à son habitude.

Après avoir attendu que chacun reprenne son sérieux, Gaspard explique très honnêtement à ses camarades qu'il avait eu peur de perdre sa place dans sa famille ; qu'il avait craint que ses parents ne l'aiment plus, ou du moins, plus autant qu'avant l'arrivée de Shanti.

— Mais maintenant, je sais que mes parents ont chacun un très grand cœur et qu'il y a suffisamment de place pour trois enfants. Depuis que j'ai compris ça, moi aussi, j'ai fait de la place dans mon cœur pour Shanti et je peux vous dire que ça en valait vraiment la peine ! C'est tellement chouette d'avoir une sœur ! J'ai déjà hâte qu'elle grandisse pour lui apprendre plein de choses : faire de la planche à neige, l'emmener à la pêche, lui apprendre à bricoler, etc. Maintenant, Shanti, je l'aime autant que mon petit frère, Édouard, même si elle est née à l'autre bout du monde et que son sang n'est pas le même que le nôtre. Elle fait désormais partie de ma famille et pour toujours !

L'exposé qui devait durer cinq à dix minutes se poursuit pendant une bonne demi-heure. Gaspard ne voit pas le temps passer tant il a du plaisir à parler de Shanti et à répondre aux nombreuses questions. Puis, il voit la fierté qui se lit sur le visage de sa mère placée au fond de la classe, et cela l'emplit de bonheur. Il est fier d'avoir réussi son coup : ses amis sont captivés par son exposé, son enseignante semble très satisfaite de son travail, sa maman sourit aux anges en l'écoutant et Shanti le regarde avec admiration. Que pourrait-il demander de plus ?

— Pour terminer, dit Gaspard, je sais que, lorsque je serai grand, quand je serai un homme, un papa, j'irai à mon tour en Inde et j'adopterai une petite fille, qui ressemblera à ma sœur, qui deviendra alors sa tante. Et j'espère sérieusement vous avoir donné l'envie de le faire, vous aussi, dit-il en guise de conclusion.

Sous les applaudissements et les acclamations de toute la classe, Gaspard prend Shanti dans ses bras et retourne à sa place le sourire aux lèvres.

« C'est vrai que ma vie a bien changé depuis que Shanti est devenue ma petite sœur, songe-t-il en la regardant lui sourire à pleines dents, mais elle a changé pour le mieux ! Shanti m'a transformé et, grâce à elle, je sais maintenant ce que je voudrai faire dans la vie plus tard : je deviendrai conférencier et parlerai du sort des petites filles indiennes. Ma vie ne sera plus jamais la même, et finalement, c'est très bien comme ça ! »


FIN